O LUN I LÝN

O LUN I LŶN

HARRI PARRI

NOFEL YSGAFN

1972
LLYFRFA'R METHODISTIAID CALFINAIDD
CAERNARFON

I MAM
AC I GOFIO NHAD

DYLEDWR ydwyf unwaith eto!

I Fwrdd Gwasg Prifysgol Cymru a'r Cyngor Llyfrau Cymraeg am gefnogi'r gwaith.

I Mr. Victor John o'r Cyngor Llyfrau a Mr. John Morris, Aberdaron, am fwrw golwg dros y proflenni.

I'm ffrind Gareth Maelor am iddo, wedi mwy o *swnian* ar fy rhan nag erioed o'r blaen, lunio'r siaced lwch.

I Lyfrfa'r M.C. yng Nghaernarfon am fentro argraffu a chyhoeddi'r nofel.

Diolch gyfeillion.

Hyd y gwn i dychmygol yw'r holl gymeriadau yn y nofel hon.

1

Rhoddodd J. R. Jeremeia Hughes gusan felfed ar gwr isa'
boch chwith ei howscipar a chamodd dros drothwy derw
13 Digby Drive, Lerpwl, 18, i dawch y bore. Chwarddodd
Miss Pringle—Violet Sandra Pringle—chwerthiniad hen
ferch ac yna, fel y bardd gynt, sychodd ei llygaid. Yn
ystod deugain mlynedd namyn un o weini ffyddlon dyma'r
arwydd cyntaf o werthfawrogiad—yr arwydd ymarferol
cyntaf, beth bynnag—a hwn yn ôl pob golwg fyddai'r olaf
un hefyd. Ysywaeth, nid gŵr i hel dail oedd J. R.
Jeremeia Hughes. Eisoes 'roedd barrug y bore yn gwneud
mawr ddrwg i'w fegin.

"Bore da, V . . . Violet."

Gallai fforddio i ymlacio ar y bore olaf fel hyn a
mentro'i galw hi yn Violet.

"Bore da . . . a llawer o ddiolch i chi . . . am bopeth."
Gwasgodd Miss Pringle ei gwefusau yn dynn, dynn, a
thrwy ryw ryfedd wyrth llwyddodd i gadw'r llifddorau ar
gau. Wedi'r cyfan 'roedd gan hen ferch o forwyn ei
thipyn urddas.

"Twt, twt, Miss Pringle. Mi fyddwch yn fwy na
chyfforddus hefo'ch brawd a'i wraig a'r plant yn Bootle.
Mi wyddoch yn iawn fel ma'r spanial 'na sy' ganddyn nhw
yn ych addoli chi."

Rhoddodd Violet Pringle ddau gam pendant wysg 'i
chefn a chaewyd y drws derw gydag arddeliad.

Ymwthiodd y *Mercedes* gwyn yn hoenus drwy draffig
ysgafn y sybyrbia a'i berchennog yn chwifio llaw wen,
feddal ar rai o'r fforddolion.

"Ta-ta, Jo." (Jo Mactavish, y dyn rhannu papurau
newydd oedd hwnnw).

" Ta-ta, Jo . . . a diolch am bopeth."

Yn ddirybudd camodd gŵr boliog i lwybr y *Mercedes* gwyn a chroesi'n dalog ar gefn y sebra.

"Wel, eto byth," meddai J.R. wrtho'i hunan. " Yr Henadur Percy Peacock, O.B.E. Bore da, Percy Peacock . . . a gwynt teg ar dy ôl di! Fydda i ddim yn byw y tŷ nesa i ti yn Nefoedd y Niwl . . . a diolch am hynny."

Rhoddodd bwniad ysgafn i'r corn, ac fel cydnabyddiaeth darn-gododd Peacock ei ambarel mewn saliwt derfynol.

Cyn hir sylweddolodd J. R. Jeremeia Hughes ei fod bellach ar ffordd letach ac, yn reddfol megis, ymbalfalodd am y gêr ucha'.

Sawl gwaith yn ystod y blynyddoedd y bu'n teithio Mugwood Drive gyda'r bwriad glân o gyrraedd gatiau y J. H. Pen Co. Inc. cyn naw o'r gloch, ond byddai'n ddeng munud wedi naw arno yn cyrraedd fel rheol? Heddiw, fodd bynnag, câi basio'r fynedfa swel heb gymaint ag arafu. Ond yn anffodus, i ganol ei holl lawenydd daeth ias fach o amheuaeth. Tybed oedd o'n gwneud y peth iawn? Ei fwriad gwreiddiol wrth gwrs oedd prynu tŷ yn y Wirral, riteirio a phriodi Miss Pringle—y tri pheth i ddigwydd yn y drefn yna—ond yn gwbl ddirybudd daeth tro ar fyd. 'Roedd hi'n bnawn Sul siriol o Awst ac yntau'n gyrru'n ddiamcan ar hyd cefnffordd droellog, foliog ym mherfedd gwlad Llŷn pan welodd y lle. Tynnodd ei het o barch. Hen dŷ ffarm gwag, led cae o'r ffordd fawr a'r geiriau AR WERTH wedi eu hoelio i gilbost y giat. Yn y fan a'r lle, ac ym mhrynhawnol hedd y dydd Saboth, syrthiodd mewn cariad. Cafodd brofiad cyffelyb ddeunaw mlynedd ar hugain yn ôl yn Penny Lane ond, fel 'roedd hi'n digwydd, 'doedd Pegi ddim ar werth! Ac am Violet . . . wel, mi fyddai hi'n ganmil hapusach

hefo'i brawd a'i wraig a'r spaniel gwyn yn Bootle. Byddai
Nen Tad. A pheth arall. . . .

"Be haru ti y mab dryll felltith. Deud dy bader ne
be wyt ti?"

'Roedd y dreifar lori, Scowsyn pur, hanner y ffordd
allan o'r cab ac yn poeri cynddaredd. Un ennyd fer ac fe
sylweddolodd J. R. Jeremeia Hughes faint ei bechod. Tra
bu o ar daith i Nefoedd y Niwl 'roedd y golau wedi newid
o goch i wyrdd ac o wyrdd i goch ddwywaith drosodd.
'Roedd 'na stribed angladdol wrth ei gwt gyda'r dyn lori
yn y lle y dylai hers fod, ond ei fod mewn ysbryd ychydig
yn wahanol.

Sathriad sydyn i'r sbardun petrol ac i ffwrdd â'r
Mercedes gwyn ar draws y groesffordd brysur gan adael
Pegi a Penny Lane, Nefoedd y Niwl a Violet Pringle i'r
golau gwyrdd a'r dyn lori. Unwaith y llwyddai i wthio
trwyn y car i wyll y twnnel byddai pethau yn fwy ham-
ddenol wedyn, a châi yntau ddychwelyd i nefoedd Nefoedd
y Niwl. Ond yn anffodus 'roedd J. R. Pen Co. Inc. ar y
gorwel. Plastar o adeiladau â'r golau neon uwchben y
fynedfa yn wincio'n siriol yn nharth y bore:

"Say it with love—but write it with *our* pen."

Daeth lwmp i'w wddf a niwl i'w lygaid fel y nesâi at
y deyrnas orwych a godwyd ag inc, ond daeth gwres i'w
gorun moel wrth feddwl am Benson, Bill Benson *o bawb*,
yn eistedd yn y gadair siglo. Yr union gadair y bu ef yn
ei lenwi am chwarter canrif a mwy. Gweledigaeth
broffwydol oedd honno a ddaeth iddo yn niwedd teyrnas-
iad y bensel blwm a'r lechen las. Gollwng inc i boteli i
gychwyn, eu corcio a'u gwerthu ac yna—y beiro. Y beiro
swllt, o barchus goffadwriaeth. Sawl lythyr cariad, sawl
gair o gydymdeimlad, sawl cynnig priodas, sawl llythyr—ia,

pam lai—sawl llythyr aelodaeth hyn-sydd-i'ch-hysbysu a sgriblwyd i gyfeiliant esmwyth beiro swllt y J.R.? Ond pa fudd bugeilio atgofion? Heddiw câi lithro heibio yn ddisylw.

"For he's a jolly good fellow,
For he's a jolly good fellow. . . ."

Nefoedd yr adar. 'Roedd 'na dyrfa diwrnod priodas, yn fflagiau i gyd ac yn llenwi'r fynedfa o un cilbost i'r llall. Sylwodd mai genod y cantîn a'r pwllyn teipio oedd y mwyafrif, ond gwrogaeth yw gwrogaeth pwy bynnag sy'n ei thalu. Arafodd y *Mercedes* gwyn fel pe'n synhwyro'r sefyllfa ac agorodd J. R. Jeremeia Hughes y ffenestr yn bwyllog er mwyn iddo gael derbyn yr wrogaeth annisgwyl yn ei holl burdeb.

Cyn gynted ag y safodd y car, ailgydiodd côr y cantîn. Dyblwyd a threblwyd hen siant boblogaidd:

"We want Jerry!
We want Jerry!
We want Jerry!"

Mewn ufudd-dod camodd J. R. Jeremeia Hughes o'r *Mercedes* gwyn i'r palmant a'r eiliad honno fe'i llethwyd ac fe'i lloriwyd. Nid oedd ganddo unrhyw go' am yr hyn a ddigwyddodd wedyn ond, yn ôl a glywodd, ceisiodd pob copa walltog a wigog ei gusanu 'run pryd. Cafodd ugain stôn o gnawd meddal a elwid yn Doreen Macfrazer well gafael ynddo na'r gweddill a chydag un gofleidiad, teilwng o Mick Macmanus, fe'i gwasgodd yn seitan cyn ei ollwng fel sach tatw i'r llawr. Bu yno yn hir. Pan ddaeth ato'i hun clywodd y corn hanner awr wedi wyth yn swnian yn y pellter a thrwy ei lygad gwelodd y bagad edmygwyr yn ei heglu hi at eu gwahanol ddyletswyddau ac yn eu dilyn, o hirbell, yr anfarwol Doreen Macfrazer. Wedi llacio'r

dorch flodau a blethwyd yn ddwbl am ei wddf teimlai
ychydig yn well a llwyddodd i godi ar ei draed.

"Wel," meddai J.R. wrtho'i hun, "Peth mawr ydy bod
yn boblogaidd, ac mae'n rhaid i bob eilun, mae'n debyg,
dalu'r pris."

Cododd ei olygon i gael yr olwg olaf ar y Pen Co. Inc.,
ac fe'i gwelodd. Wyneb pygddu William Benson yn rhythu
drwy ffenestr agored y brif swyddfa a'r cysgod lleiaf o
wên yn nhro ei wefusau. Yn ffrwcslyd camodd J.R. o'r
palmant i'r car, sodrodd y lifer i'r ail gêr a gwthiodd ei
ffordd yn ddigywilydd i ganol y ffrwd o draffig a lifai
heibio. Fe droes gwraig Lot gynt yn golofn o halen am
iddi fynnu un cip arall ar ei hen gartref ond aeth J. R.
Jeremeia Hughes i mewn i'r twnnel yn lwmp solat o
gnawd, heb gymaint ag edrych yn ôl unwaith.

2

WEDI stablu'r car ar gytir glas gerllaw Moel Hebog
cythrodd J.R. am ei dun bwyd. Ugain mlynedd yn ôl
byddai wedi troi i mewn i westy, ac ordro'r seigiau gorau,
ond yn anffodus ni allai fforddio hynny. Yn ystod y blyn-
yddoedd olaf bu'n fwy hael nag y dylai a llwyddodd,
gyda help eraill, i wasgaru bron gymaint ag a gasglodd.
Gyda chymorth hen geiniog wedi camu agorodd y tun
bwyd. Bu ganddo gyfeillesau lu yn ystod ei oes ar wahân
i Pegi Penny Lane a Violet Pringle, a'r rheiny gwaetha'r
modd braidd yn ddrud i'w cadw. Dyna Maureen Black,
merch y dyn glo o Birkenhead, bu honno'n gostus i'w
chynnal—côt ffwr, stola finc ac un fodrwy aur os nad dwy.
A beth am Catriona wedyn? Daeth chwys gwan drosto
wrth gofio honno. Wrth gwrs 'roedd 'na waed Eidalaidd
yn Catriona Bandinelli, ac o'r herwydd 'roedd ei stumog
hi fel pwll diwaelod. Gallai fwyta dau blatiad anferth o
chow mein heb gymaint â newid ei lliw.

Na, dyfodol go dlawd a'i hwynebai, gwaetha'r modd.
Bu'n ffodus i fedru rhentu tŷ mor urddasol â 13, Digby
Drive am gynifer o flynyddoedd a bu'n fwy ffodus fyth i
gael benthyg arian i brynu'r hen dŷ ffarm gan ddyn neis y
Credit Security Ltd., Bethnal Green. Wrth gwrs byddai'n
rhaid talu'r caredigrwydd yn ôl rywbryd, fesul ychydig,
ond pa ddiben poeni am hynny ar bnawn mor braf ar
odre Moel Hebog? Wrth gwrs, hyd yn hyn, nid fo oedd
perchennog y *Mercedes* gwyn chwaith. 'Roedd 'na sawl
taliad misol i'w wneud cyn y byddai wedi clirio'r ddyled
drom honno. Diolch eto i ddyn neis y *Credit Security
Ltd.* am ddod i'r adwy dros dro.

Yn wir, gŵr tlawd iawn a fyddai oni bai am un peth. Rhoddodd y caead yn ôl ar y tun bwyd, ei roi o'r neilltu a mynd ati i agor y parsel papur llwyd a orweddai ar y sedd gefn. Un cip arall ar y trysor. Yn ffair sborion Undeb Mamau Scotland Road y cafodd Violet y llun, a'i gyflwyno iddo yn anrheg penblwydd bymtheng mlynedd yn ôl, ac yntau ar y pryd, yn croesi'r hanner cant.

Wrth gwrs, i lygad anghyfarwydd 'doedd 'na ddim yn arbennig yn y darlun, ac eithrio ei fod ychydig yn hen, hwyrach—llun pwt o gath fach yn chwarae hefo pelen o linyn, a'r llinyn, yn ôl pob golwg, yn debygol o'i thagu hi yn y diwedd. Ond fe fyddai'r cyfarwydd yn siŵr o adnabod llofnod Deliago Bianco ar waelod y darlun ac yn gwybod mai dyma o bosibl un o gampweithiau yr Eidalwr byd-enwog hwnnw o'r ddeunawfed ganrif. Edrychodd eilwaith ar y darlun. Sawl arbenigwr a ddywedodd ei fod o leiaf yn werth ugain mil?

Unwaith bu mor ffôl â gwrthod cynnig o'r fath. Daeth rhyw gryndod drosto wrth feddwl ei fod yn dal y fath gyfoeth ar ei ddau benglin ac aeth ati yn ofalus i ail glymu'r parsel a'i osod i orffwys unwaith yn rhagor ar feddalwch y sedd gefn.

Cydiodd yn ei dun bwyd unwaith eto ac yn ddirybudd disgynnodd deigryn bychan gan landio'n daclus ar frechdan gorn bîff.

"Violet," sibrydodd J.R. yn fyglyd. "Yr annwyl Violet Pringle."

Hynod yng ngwewyr y ffarwelio fel hyn 'doedd hi ddim wedi anghofio ei hoff ddanteithfwyd—gwadnau corn bîff ac wy wedi ei ferwi'n galed heb ei blicio. Byddai'n rhaid iddo dorri brechdanau a berwi ŵy ei hunan yn Nefoedd y Niwl. Teimlai ddeigryn afradlon arall yn cronni yng nghil ei lygaid a rhag gwlychu rhagor ar y corn bîff fe'i sychodd, ac yna aeth ati i archwilio cynnwys gweddill y twr brechdanau.

Wedi sychu'r briwsionyn olaf oddi ar ei weflau, a gwthiosedd y gyrrwr fodfedd neu ddwy yn ôl, syrthiodd J. R. Jeremeia Hughes i gyntun melys, ei arfer wedi cinio ers pymtheng mlynedd a rhagor. Heddiw gwelai bethau rhyfeddach nag arfer. Gwelai Violet Pringle a Pegi Penny Lane wedi eu troi'n wiwerod yn ymlid ei gilydd i fyny ac i lawr coeden dderw dal, a thun anferth o gorn bîff gan bob un ohonynt. Yn eistedd wrth fôn y goeden 'roedd Maureen Black yn hanner cath a hanner dynes ac ŵy wedi ei ferwi'n galed rhwng ei phawennau. Gwyliai y wiwerod â'i gweflau'n diferu ac yna, yn sydyn, rhoes sbonc i frigau'r goeden a bu rhegfeydd na chlywodd J.R. eu tebyg. Y peth olaf a welodd oedd tun mawr o gorn bîff yn disgyn yn gyflym i gyfeiriad ei gorun, ac yna agorodd ei lygaid.

*   *   *

Wedi cyrraedd tref Pwllheli a pharcio'r car, trodd J.R. i mewn i dafarn goffi i wlychu ei big. Fo oedd yr unig gwsmer. 'Roedd y lafnes lygatddu a wibiai o amgylch y byrddau crwn yn ddigon o ryfeddod a chanddi lond ceg o sgwrs barod. Darganfu Jeremeia Hughes, cyn pen ychydig eiliadau, fod Pen Llŷn yn gyfan yn disgwyl yn eiddgar am ei ddyfodiad.

"Ac mi 'rydach chi wedi prynu Nefoedd y Niwl," meddai'r lafnes. "Wel lle bach clên ydy Nefoedd y Niwl, un o'r llefydd bach clenia ym Mol y Mynydd. Duwcs, mi fyddwch yn hapus fel gog yno mi gewch weld."

'Doedd J.R. ddim wedi meddwl am y ffermdy fel lle bach, na lle bach clên o ran hynny, a 'doedd o 'rioed wedi

meddwl bod y gog yn hapusach na'r un deryn arall. Ond
mae'n siŵr fod y ferch lygatddu yn iawn.

"A hen lanc ydach chi'n te? Os ydw i'n nabod hen
ferchaid Pen Llŷn fyddwch chi ddim felly yn hir. Duwcs
mi rown 'i sgertiau ar yr hoelan cyn pen dim. Rhaid i chi
watsiad."

I yrru'r neges broffwydol hon adref rhoddodd y ferch
lygatddu benelin i J.R. ym mhwll ei stumog nes bod y
coffi yn cael ei chwistrellu drwy'i ffroenau i bob cyfeiriad.

Gwyddai, fe wyddai'r ferch yn dda am ardal Bol y
Mynydd—bu hanner brawd i'w thad yn ffarmio yno un-
waith—a chan bod ganddi ddigon o amser ar ei dwylo
rhoddodd res hir o gynghorion i J.R. ar sut i fyw yn dda
yn y fath le.

"Ew gwyliwch y person 'na beth bynnag. Hen sgamp
ydy o, a dyn merchaid os buo 'na un 'rioed. Fasa 'i fam
o'i hun ddim yn saff 'tasa 'rhen gryduras dipyn yn
fengach."

O dro i dro diolchodd J. R. Jeremeia Hughes fod ei
orffennol, ar y cyfan, yn guddiedig rhag y werin.

Wedi talu ei ddyled, deg ceiniog i fod yn fanwl, a
dymuno dyfodol golau i'r ferch lygatddu aeth yn ôl i'r
car ac ymlaen unwaith eto ar ei daith i Lŷn.

3

ARDAL wasgarog ydy Bol y Mynydd a'r ffermdai a'r tyddyn-
nod wedi eu hau yn blith draphlith dros wyneb y rhostir
ac, yn ôl un hen goel, y cawr Odo sy'n gyfrifol am y
blerwch.

Un pnawn mwll cyrcydai Odo ar ysgwydd Mynydd yr
Ystum yn ddrwg ei hwyl, a hynny am fod ganddo gorn ar
fawd ei droed chwith, a hwnnw'n pigo. I ddifyrru'r amser,
fel petai, cydiodd mewn dyrnaid o dai a ffermdai a'u
gollwng yn freuddwydiol drwy ei ddwylo fel y bydd
plentyn yn chwarae gyda thywod. 'Wyddai Odo ddim am
y bataliwn o forgrug a oedd, yr eiliad honno, yn cynnal
mabolgampau y tu fewn i goes ei drowsus. Wedi llwyddo
i gyrraedd man dewisol rhoddodd un morgrugyn bigiad da
i ddathlu ei fuddugoliaeth a dyna'r eiliad y gollyngodd
Odo lond dwrn o dai yn strim-stram-strellach ar hyd y rhos.
Wrth gwrs, 'roedd eglwys hynafol Sant Dyfrig wedi ei
gwasgu i gesail y mynydd ganrifoedd cyn hyn, ac yn
ddiweddar bu rhywun mor ddifeddwl â gollwng 'sgubor o
gapel Annibynwyr yn blwmp ar ganol y rhos yn y man
mwyaf diarffordd posib'. Ac fel yna, yn ôl traddodiad, y
daeth ardal Bol y Mynydd i fod.

Er na wyddai J.R. am chwedl Odo yn bledu'r tai, ac er
na fu ym Mol y Mynydd ond unwaith o'r blaen, ni chafodd
drafferth i ddarganfod llidiart pren Nefoedd y Niwl.
Cafodd fwy o drafferth i agor y llidiart. Bu'n bustachu'n
hir i ddatod y llinyn a glymwyd yn gwlwm-gwlwm. Wrth
gwrs byddai dyn cynefin â'r wlad wedi codi'r llinyn dros
y cilbost yn hytrach na'i ddatod, a byddai dyn felly wedi
cau'r llidiart ar ei ôl yn ogystal. Ni ddaeth un o'r ystyr-
iaethau hyn i feddwl trefol J. R. Jeremeia Hughes. Ni

bu'n arfer ganddo gau gatiau derw 13 Digby Drive, ac ni welai pam y dylai gau llidiart ffawydd gwyn Nefoedd y Niwl—fo oedd perchennog y ddau le!

Gollyngodd lw ysgafn, peth go anarferol yn ei hanes, fel y teimlai echelydd y *Mercedes* gwyn yn suddo'n ddyfnach, ddyfnach, i rowtiau'r ffordd. Bedwar mis yn ôl 'roedd y llwybr igam-ogam o'r llidiart i'r buarth fel haearn Sbaen ond heddiw edrychai'n debycach i afon na dim arall a châi'r *Mercedes* moethus drafferth i deithio. Cyn gynted ag y dringai o un pwll disgynnai yn blwmp i bwll arall a hwnnw, os rhywbeth yn ddyfnach na'r un blaenorol. Toc dechreuodd y car droi yn ei unfan gan wneud sŵn tebycach i awyren yn hwylio i godi nag i ddim arall, ac fel y sathrai J.R. ar y sbardun suddai'r cerbyd yn is ac yn is nes o'r diwedd iddo gloi yn ei un-fan. Gollyngodd y gyrrwr lw arall, un cryfach y tro hwn, ac edrychodd o'i gwmpas i weld a ddeuai gwaredigaeth o rywle.

Fe berthyn i'r gwladwr pur y ddawn annaearol i fod yn yr union le pan fydd pobl ddieithr yn cyrraedd, ac 'roedd Elis Robaitsh, Tŷ Cam, wedi ei fendithio'n helaeth â'r ddawn hon. Camodd drwy fwlch yn y clawdd drain yn gap stabal i gyd, a hen sach dros ei war.

"Troi yn 'i unfan mae o?"

Ni theimlai J.R. fod galw am iddo ateb cwestiwn rhetoregol o'r fath. Daeth y ci defaid butra a welodd J.R. erioed i ben y bwlch—nid ei fod o wedi gweld llawer o gŵn defaid budr—ac i ddangos ei groeso neidiodd ar fonet y car. Rhoddodd Elis Robaitsh eitha slaes iddo hefo'r cap stabal a llithrodd Pero dros ben yr olwyn i'r ffos. Clywodd J. R. Jeremeia Hughes ewinedd y ci yn sgriffio drwy'r paent ac aeth y peth fel saeth drwy'i galon.

"Ma hi'n lyb ofnatsan," meddai Elis Robaitsh yn ddi-gynnwrf. "Mi fydd raid i ni blannu reis toc yn lle tatws."

'Roedd J.R. ar fin gwneud sylw am y tywydd ond aeth y ffarmwr rhagddo yn galonnog.

"Y . . . nid chi 'dy'r dyn diarth sydd wedi prynu'r Nefoedd 'ma?"

"Ia . . . gwaetha'r modd."

"Falch ofnadwy o'ch cyfarfod chi," a gwthiodd Elis Robaitsh ei law fawr drwy ffenestr y car i J.R. gael ei hysgwyd hi.

"Falch ofnadwy. Begw a finna' sy'n byw yn yr hen le bach 'na ar y terfyn i chi. Y . . . Tŷ Cam ydy enw fo. Duwcs mi fyddwch mor hapus â dwn i ddim be, unwaith y byddwch chi wedi setlo. Sgynnoch chi blant?"

Daeth y cwestiwn mor sydyn fel na chafodd J.R. amser i feddwl cyn ateb.

"Ddim hyd yn hyn—wel, tydw i ddim wedi priodi . . . eto."

"Fath â'r person 'na felly. 'Dydy o ddim wedi priodi *eto*," a chwarddodd Elis Robaitsh hen chwerthiniad aw-grymog. 'Doedd o ddim yn drysorydd y capel am ddim.

"Ydach chi'n meddwl y medra i gael ych help chi i symud y car 'ma o'r mwd? Mi fydd raid i mi gael trefn ar y dodrefn cyn iddi dywyllu."

Ofnai J.R. iddi droi yn seiat dan ei ddwylo ac ofnai hefyd fod y car yn suddo yn is.

"Os na 'dwy'n methu'n arw mi fydd y rhan fwya o'r celfi yn 'u lle yn barod i chi. 'Ro'n i'n gweld Laura Elin o'r Felin a Hywal y mab yn mynd yno bora a baich o bricia dechra tân ar gefna'r ddau."

Gwelodd J.R. yr annibyniaeth y bu'n hiraethu cymaint amdano yn diflannu o dan ei drwyn, a hynny cyn iddo ei gyrraedd.

" Pwy roddodd ganiatâd iddyn' nhw?" holodd yn biwis.

" Ylwch yma, peidiwch â styrbio'ch hun i ddim byd. Un ffeind fel 'na ydyw Laura Elin wedi bod 'rioed. Mi fydda hi yma lawar efo'r hen bobol. Wel, tydy pob dima' yn help iddi i fagu Hywal bach. Twt, mi fyddwch chitha yn falch o gal tamaid yn barod yn y meinjar 'dwy'n siŵr."

" Wel os *cyrhaeadda*' i y meinjar ynte."

" Dowch, mi roith Pero a finna wth i chi."

Rhoddodd Elis Robaitsh holl rym ei bymtheg stôn y tu ôl i'r car a dechreuodd hwnnw dishian a thagu yn ffyrnig.

" Peidiwch â sathru'r peth petrol 'na mor gynddeiriog ulw," gwaeddodd.

Gydag un ruad llamodd y *Mercedes* o'i gaethiwed a disgynnodd Elis Robaitsh yn glwt i'r pwll llaid.

" Ddaru chi ddim brifo?" holodd J.R. gan gychwyn i ffwrdd yr un pryd.

" Naddo," atebodd y ffarmwr yn araf, " ond pan fyddwch chi'n dwad y ffordd yma eto caewch y blwmin giat 'na ar ych ôl, Ne . . . ne mi eith y gwarthaig i'r mart 'i hunan."

Er ei bod hi'n bnawn myglyd 'roedd drws Nefoedd y y Niwl yn agored led y pen a chorff byrgrwn, wynebgoch Laura Elin o'r Felin yn hanner llenwi'r drws hwnnw. 'Doedd J.R. ddim yn siŵr iawn pa fodd i ymddwyn mewn sefyllfa o'r fath, oherwydd ni cherddodd y ffordd hon o'r blaen. O, 'roedd o'n hen gynefin â chroesawu y rhyw deg i'w gartref yn Lerpwl ac yno gallai drafod merched, boed briod neu weddw, cystal â'r dyn drws nesa'—ond wele enaid cwbl ddieithr iddo yn ei groesawu i'w gartref newydd yn Nefoedd y Niwl. Ni bu raid iddo bryderu yn hir oherwydd, fel y camai dros y trothwy, cafodd groeso mab afradlon.

Wedi dod yn rhydd o'r breichiau cryfion cafodd J.R. ei lusgo i'r gadair freichiau ger y tân a rhoddodd Laura Elin orchymyn siarp i'w mab Hywal, a eisteddai ar y stôl drithroed, yn pigo'i drwyn, i symud 'i hen betha oddi ar y bwrdd i'r gŵr bonheddig gal tamad yn 'i grombil.

"Ac yli," ar yr un gwynt, "cyn i ti glirio dy hen betha estyn slipars dy daid i Yncl Hughes. Dyna hogyn da."

'Roedd hyn yn ormod i Jeremeia Hughes. Cododd ar ei draed mewn protest a dweud bod ganddo'r traed cynhesa' o fewn y cread, ond rhoddodd Laura Elin law gadarn ar ei ysgwydd a'i wthio yn ôl i'w sedd.

"Be ydy ryw hen gysêt fel hyn? Steddwch!"

O'i eistedd ceisiodd wrthwynebu ar dir arall.

"Fydda i byth yn lecio gwisgo dim ar ôl neb, y . . . 'dwn i ddim fyddwch chi?"

'Roedd Laura Elin ar ei deulin ac wrthi'n brysur yn datod ei esgid chwith.

"Coel gwrach ydy peth felly. Cwta flwyddyn sy' ers pan ma' nhad druan wedi'n gadal ni a thydy i slipars o ddim blewyn gwaeth na newydd."

Wedi cael un esgid yn rhydd rhwbiodd ei droed yn ysgafn â'i llaw.

"Deud celwydd wrth Laura Elin," medda hi'n chwareus. "Ma'ch traed bach chi fel llyffantod."

Dechreuodd Laura Elin oglais gwadn troed dde Jeremeia Hughes, yr unig fan gwantan yn ei holl bersonoliaeth, ac aeth y gŵr piwis i ffit aflywodraethus o chwerthin. (Gwell egluro mai yn ystod yr eiliadau brau hynny y torrwyd y garw rhyngddynt.)

Bu'r pryd bwyd yn eitem ddigon diflas ac 'roedd am-
ryw resymau am hynny. Wedi blynyddoedd o fywyd
trefol collodd J.R. lawer o'i archwaeth at fwyd cyntefig
fel stwnsh rwdan a pheth dieithr iddo bellach oedd gweld
sosban ddu wedi ei gorseddu ar ganol bwrdd y gegin,
ond yr hyn a'i blinai fwyaf oedd sylwi ar Hywal y mab
yn pigo'i drwyn bob yn ail cegiad.

Wedi clirio'r llestri swper, rhoi proc i'r tân a dŵr yn
y botel ddŵr poeth, casglodd Laura Elin y cwbl ynghyd
a pharatoi i gychwyn.

"Dach chi'n siŵr y byddwch chi'n iawn?" 'Roedd
swn pryder yn ei llais. "Fasach chi ddim yn lecio i ni
gysgu yma hefo chi y noson gynta' fel hyn?"

Llamodd J.R. o'i gadair a bugeiliodd yr iâr uncyw i
gyfeiriad y drws. 'Roedd hyn yn mynd yn *rhy* bell.

"Mi fyddai'n iawn Miss Williams . . . y . . . diolch i
chi. Dowch chi draw eto os byth y byddwch chi'n
pasio."

"Pasio," meddai Laura Elin gan ymestyn chwerthin.
"Trugaredd fawr, ddyn glân, ond mi fyddai yma bora
fory eto. Ryw hannar milltir cwta sy' rhwng fa'ma a'r
Felin 'cw." Sibrydodd, "Dydan ni'n dau yn gymdogion
rŵan."

A chyda'r addewid rasol yna, a chan gydio yn dynn
yng nghlust Hywal y mab, camodd Laura Elin y Felin,
yn llythrennol o'r Nef i'r niwl.

*   *   *

Wedi cael cefn y ddau aeth J. R. Jeremeia Hughes ati
i ddad-bacio ei hoff drysor, a hynny mor dyner a gofalus
a phe byddai'n fam ifanc yn diosg ei chyntafanedig.
Oedd, 'roedd Deliago Bianco wedi dal y daith yn gampus.

Fe roddai darlun fel hwn flewyn o chwaeth i gegin lom
Nefoedd y Niwl a thestun siarad am fisoedd i werin ddi-
niwed Bol y Mynydd. Dyma'r union beth hwyrach i
osod y lle cyntefig hwn ar y map. Ac eto, beth pe
deuai lladron i'r lle? Peth peryglus fyddai hongian dar-
lun gwerthfawr fel hwn yn wyneb haul, llygad goleuni.
'Doedd o ddim mor siŵr o gymeriad y Miss Williams 'na
o ran hynny. Gwell fyddai gosod Bianco uwchben y grât
yn yr ystafell nesa . . . ond fe wnâi hynny bore 'fory.

O beth i beth daeth J.R. i eistedd i'r gadair freichiau,
'roedd pob gewyn yn ei gorff yn frau gan flinder. Cododd
ei draed i ben y pentan, taniodd sigâr fach, ac aeth ati i
anwylo'r llun. Rhythodd i fyw llygad y gath fel y
gwnaeth filoedd o weithiau o'r blaen a rhyfeddodd un-
waith yn rhagor at ddawn gynnil y gŵr o'r Eidal.

Yn araf cododd ei olygon i chwilio am safle addas i
weddill y dodrefn. Yn anffodus crwydrodd ei lygad i
gyfeiriad bwrdd crwn a diflannodd y gwynt i gyd o'i
hwyliau—'roedd Laura Elin o'r Felin wedi hulio brecwast
i *dri*. Mewn diflastod llwyr lluchiodd J.R. hanner y sigâr
i'r tân a suddodd yn ddyfnach i'w gadair freichiau.

Aeth ei feddwl yn ôl i'w hen gartref yn Lerpwl a
chofiodd eiliad am ei hen howscipar ffyddlon. Na, 'doedd
Violet Sandra Pringle ddim yn ddrwg i gyd, ddim i gyd
beth bynnag. O feddwl am ei Sandra gwasgodd J.R.
Deliago Bianco yn dynnach, dynnach i'w fynwes, a
llithrodd i'r byd hwnnw lle mae merched yn troi'n gathod
a stwnsh rwdan yn frechdanau hyfryd o gorn bîff.

4

BYDDAI'R Parchedig Edward G. Molyneux bob bore cyn shafio yn cyflawni dau orchwyl, dweud ei bader a melltithio'r Esgob. Gwnaeth hynny y bore hwn. Adroddai baderau o barch i'r hen wraig ei fam a gysgai ei hochr hi yn y llofft ffrynt, a melltithiai'r Esgob oherwydd yr orfodaeth newydd i gynnal boreol weddi saith niwrnod yr wythnos yn holl blwyfi'r Esgobaeth. 'Roedd yr hen Esgob, er ei holl wendidau, yn deall teithi meddwl ei offeiriaid yn llawer gwell ac yn caniatáu iddynt godi pryd y mynnent, ond disgwyliai hwn i holl glychau'r Esgobaeth ganu yn un symffoni fawr am bum munud i saith bob bore. Wrth gwrs barnai pawb fod yr Esgob newydd yn fwy duwiol na'i ragflaenydd ond, fel y dywedodd Molyneux wrth ei fam fwy nag unwaith, mae 'na bethau eraill mewn bywyd heblaw duwioldeb. Petai Eglwys Sant Dyfrig am y pared â'r tŷ ni fyddai raid iddo ond neidio o un wenwisg i un arall a chroesi lawnt, ond 'roedd 'na o leiaf chwarter milltir farugog rhwng y ficerdy a'r eglwys. Petai ganddo feic. Petai ganddo wraig! Petai ganddo feic a gwraig! Ond 'doedd wiw hel breuddwydion o'r fath ar awr mor fore.

Dechreuodd shafio. Fel ganwaith o'r blaen dychmygodd ei fod eilwaith yn fachgen ifanc yn pladurio gwenith gwyn ar ddolydd Dyffryn Clwyd ac aeth ati i fedelu'r erwau sebon fesul un ac un. Am ychydig eiliadau 'doedd dim i'w glywed ond crafiadau cyson, esmwyth y rasal hen ffasiwn ac yna, er holl ofidiau'r daith, torrodd y Parchedig Edward Molyneux allan i ganu. Mewn tenor melodaidd ymdrechodd ganu ychydig frawddegau o *La Bohème* o waith Puccini.

"Mae hi'n anodd deall pethau," meddai Molyneux wrtho'i hun, wedi iddo gael ei wynt yn ôl. O fewn ffiniau cyfyng y baddondy fel hyn 'roedd o'n gystal tenor ag Enrico Caruso unrhyw ddydd ond unwaith yr agorai ei geg yn yr eglwys diflannai ei lais fel pe byddai rhywbeth yn ei fwyta. Ail-gydiodd yn ei solo gan slyrio y nodau uchaf yn anfaddeuol.

"Edward! Edward, cariad, newch chi fod yn dawel?"

Clywodd guro diamynedd o gyfeiriad y llofft ffrynt, a sylweddolodd Edward Molyneux fod *Rodolfo,* unwaith yn rhagor, wedi deffro'i fam. Sychodd y dafnau gwaed o dan ei ên a chan wisgo'i goler gron cerddodd i gyfeiriad y ffenestr.

Dyrchafai mwg o wahanol liwiau o gyrn y tyddynnod a'r mân ffermdai. 'Roedd 'na dorchau o fwg du tew, uwchben Tyddyn Cam oherwydd nad allai Begw Robaitsh byth gynnau tân heb joch o baraffîn, ond llinell denau o fwg glas ysgafn a esgynnai o gorn Tyddyn Meirion. Byddai Gwen Thomas, Tyddyn Meirion, neu Gwilym ei gŵr, wedi gofalu am gasglu baich o fonion eithin sych mewn iawn bryd. Rhai gofalus, caredig oedd Gwen a Gwilym Thomas a ffermwyr ifainc o'r iawn ryw.

Fel arfer crwydrodd llygaid y Parchedig Edward Molyneux i gyfeiriad y Felin a chafodd beth braw— 'doedd 'na'r un blewyn o fwg uwchben y lle. Oedd rhywbeth o'i le yn y Felin? Beth am Laura Elin a Hywal? Oedd y ddau yn iawn? Ond dyna fo, byddai'r ddau'n siŵr o fod yn y gwasanaeth fel arfer. Ni chofiai i Laura Elin na Hywal golli'r un daliad er pan ddechreuwyd ar y gwasanaethau boreol, bron i bedair blynedd yn ôl bellach, a go brin y byddent yn absennol y bore hwn.

Wrth gwrs petai'r hen wraig ei fam yn fwy ystwyth, a phetai ganddo yntau well poced—'roedd Laura Elin yn llym ar fanylion o'r fath—byddai'r tri yn cyd-gerdded y bore hwn o'r ficerdy i'r eglwys a Hywal, mae'n debyg, yn y canol. Trueni hefyd i Hywal ddod i'r golwg ddeng mlynedd yn ôl ond chwedl y Llyfr Gweddi mae pawb yn agored i "aml bechodau ac anwiredd," a rhaid maddau.

Edrychodd ar ei wats. Gwarchod! 'Roedd hi eisoes wedi troi chwarter i saith. Byddai'n rhaid iddo heddiw eto anghofio urddas ei ordeiniad a'i gwadnu hi am yr eglwys. Dratio'r Esgob!

*   *   *

"Fy annwyl gariadus frodyr. . . ." Edrychodd y Parchedig Edward Molyneux dros ymyl ei sbectol i gyfeiriad sêt y Felin. 'Doedd Laura Elin ddim yno. Dim ond Hywal yn nythu yng nghornel y sêt ac yn pigo'i drwyn. Lle 'roedd Laura Elin? Dawnsiai llyth-rennau y Llyfr Gweddi yma ac acw hyd wyneb y dudalen a theimlai ias annifyr o dan ei wenwisg yn carlamu i fyny ei feingefn. Yn ffodus 'roedd y foreol weddi ganddo yn gyfan ar ei gof a phe gwnâi gamgymeriad go brin y byddai Hywal, yr unig ddeiliad y bore hwn, yn debygol o sylwi. Gollyngodd weddi frysiog dros y brenhinol deulu, un arall dros yr offeiriaid a'r bobl, ac yna rhuthrodd i fyny llwybr yr eglwys i gael gafael yn y gwalch bach cringoch cyn iddo sleifio i ffwrdd.

"Hywal bach . . . y ngwas i, lle mae eich mam?"

"Dim yma."

Teimlai fel gafael yn ei glust chwith, honno y bu pigyn ynddi ddiwethaf, ond gwell peidio.

"Mi wn i hynny. Dyna pam 'rwy'n gofyn. Ydy mam yn sâl . . . ngwas i?"

"Nac ydy."

Hywal yn pigo'i drwyn.

"Newch chi beidio pigo eich trwyn . . . cyn brecwast fel hyn, a deud wrtha i lle mae mam."

"'Dy mam ddim adra."

"Arhoswch i mi gal gafael yn y gl. . . ."

Ymataliodd. Gwyddai, o chwerw brofiad, nad dyma'r ffordd i galon fechan gloëdig Hywal y Felin.

"Hywal, ngwas i . . . mi fyddwch yn un ar ddeg diwrnod 'Dolig nesa, a rhaid i mi edrach os oes gen i rwbath yn fy mhocad."

Gwthiodd y Parchedig Edward Molyneux ei law i waelod ei boced a thynnu allan, yn anffodus, ddyrnaid o arian gwynion.

"Fasach chi'n lecio y pishyn deg ceiniog 'ma . . . un newydd?"

"Mi faswn i'n lecio'r pishyn pum deg 'na," meddai Hywal, "I mi gal prynu llyfr da," ychwanegodd yn rhag-rithlyd, "ac mi fasa chitha'n lecio gwbod lle ma' mam."

Ffarweliodd y person â'r unig ddernyn chweugain oedd yn ei boced ond gafaelodd yng nghlust chwith Hywal y Felin yr un pryd.

"A lle ma' Miss Williams y ngwas i? I mi gael dod i edrych amdani."

"Ma' hi wedi mynd i Nefoedd y Niwl . . . i neud brecwast i Yncyl Hughes fi."

A chyda gwên lydan ar ei wyneb a phishyn chweugain newydd yn 'i boced diflannodd Hywal y Felin drwy borth yr eglwys i farrug y bore.

'Roedd hi'n nos ddu yr enaid ar y Parchedig Edward Molyneux fel y cerddai yn ôl o'r eglwys i'r ficerdy. Ni chlywodd y deryn du, pigfelyn, yn glawio'i gân loyw dros y wig; ni welodd y ceiliog ffesant a'i amrywiol blu yn croesi'r ffordd ychydig droedfeddi o'i flaen, ac ni sylwodd fod un arall o heffrod Tyddyn Meirion yn gofyn tarw.

5

Os oedd hi'n nos ddu yr enaid ar y Parchedig Molyneux
'roedd hi'n fore golau, gwyn yn hanes Hywal y Felin fel
y cerddai ar hyd yr un ffordd, o'r eglwys heibio i'r ficerdy
i gyfeiriad Nefoedd y Niwl. Dyna oedd siars olaf Laura
Elin y Felin ei fam, iddo cyn iddo gychwyn.

"Yli cyn gynted â bydd y person 'na wedi deud yr
amen ola' piga dy ffordd i gyfeiriad Nefoedd y Niwl i ti
gael brecwast hefo Yncl Hughes a fi. Ac yli. Paid â
dwad yn ôl i'r Felin 'ma i neud dryga, achos fydd 'na neb
yma. Ac yli." ('Roedd Hywal wedi cychwyn erbyn hyn.)
"Paid â phigo dy drwyn yn ystod y gwasanaeth."

'Roedd yr un rhyfeddodau yn union ar lwybr Hywal
hefyd ond 'roedd ei ymateb o a'r person ychydig yn
wahanol i'w gilydd. Cyn gynted ag y clywodd Hywal y
deryn du yn glawio'i gân aeth i'w boced, ac wedi llwytho'r
ffon dafl anelodd ergyd greulon i galon y goeden dderwen.
Distawodd y pig felyn, a hynny ar ganol brawddeg. Yn
nes ymlaen cafodd gip ar amrywiol blu y ceiliog ffesant,
fel y llechai hwnnw ym môn y clawdd, a neidiodd i'w
gyfeiriad gan lwyr fwriadu rhoi tro yn ei gorn gwddf. Yn
ffodus 'roedd amrywiol blu wedi codi'n gynnar y bore
hwnnw a llamodd yn drwsgl-ddychrynedig dros
ysgwydd y clawdd i ddiogelwch y rhos. Yn naturiol,
sylwodd fod un o heffrod Tyddyn Meirion yn gofyn tarw
a gwenodd yn ddeallus.

Wedi cyrraedd drws Nefoedd y Niwl a'i agor sylwedd-
olodd Hywal y Felin fod pethau'n gwella yno. (Mae'n wir
mai ychydig a ddeallai Hywal ar Gynllun Darllen y Cyd-
Bwyllgor Addysg ond 'roedd o'n adnabod y byd ers tro.)

Cerddodd ar ei union o'r gegin i gyfeiriad y siarad a ddeuai o'r ystafell orau.

" Fydd y dintac yn iawn yn fa'ma Mistar Hughes?"

" Tasach chi'n 'i symud hi fodfedd neu ddwy i'r chwith, Miss Williams."

" Y . . . p'run ydy'r chwith Mistar Hughes? Fydda i byth yn siŵr p'run ydy p'run wedi i mi droi nghefn fel hyn."

" Hon ydy'r chwith, Miss Williams," a rhoddodd J. R. Jeremeia Hughes baweniad ysgafn i grwper chwith Laura Elin y Felin i ddangos p'run oedd p'run. Gwenodd Hywal yn hŷn na'i oed. Oedd, 'roedd pethau *yn* gwella yn Nefoedd y Niwl.

" 'Rydw i wedi dwad yn ôl Laura." Er nad oedd o 'rioed wedi 'i galw hi yn fam teimlai Hywal ei fod o leiaf yn haeddu sylw ganddi.

" O. Wel, stedda ar y stôl drithroed yn fan'cw nes bydd Yncl Hughes a finna wedi cal y llun 'ma i'w le."

" Dyna fo, Miss Williams. Ma' fa'na rywle tua chanol y pared. Sodrwch yr hoelen i mewn at 'i phen wnewch chi?"

'Roedd Laura Elin yn barod iawn i sodro'r hoelen. Y drwg oedd fod 'na anawsterau ar y ffordd. Fu hi erioed yn un dda am ddringo a fu hi erioed yn un dda am guro hoelen ychwaith; ac felly tipyn o gamp i bedair stôn ar ddeg oedd clwydo'n gynnil ar fraich wantan hen gadair fregus, gyda morthwyl yn un llaw a darlun hir-sgwâr, trwm yn y llaw arall.

" 'Rodd y person yn holi amdanat ti. Ac 'rodd o'n deud 'i fod o am ddwad yma . . . toc."

Daeth Hywal gam neu ddau yn nes at y gadair i adolygu'r sefyllfa yn well.

" Drapia'r hogyn 'ma," meddai Laura Elin yn ffrwcslyd.
" Mae o'n fy styrbio i yn lân, yn berwi fel hyn am y person.
Pam na 'steddi di ar y stôl fan acw fel 'rydw i wedi gofyn
i ti?"

Ufuddhaodd Hywal ond yn anfoddog.

" Tasach chi'n curo'r hoelen 'rŵan, Miss Williams, cyn
i ni golli'r marc 'na eto." 'Roedd J.R. yn dechrau colli ei
bwyll erbyn hyn. " Rhowch y darlun dan ych cesail . . .
a gosodwch y dintac ar y pared . . . a morthwyliwch hi i
mewn."

" Dratio'r dyn 'ma hefyd," meddai Laura, ond wrthi ei
hun. " Ydy o'n meddwl ma' melin wynt ydw i?"

Clywodd J.R. wich denau, a thybiodd ar y cychwyn
mai brest Laura Elin oedd ychydig yn gaeth. Gwell iddo
beidio â bod yn rhy galed wrthi wedi'r cyfan.

" 'Rydach chi'n gwneud yn ddeheuig, Miss Williams.
Tasach chi'n cael y morthwyl i'r llaw arall, a. . . ."

Mewn blys mynd trwy ac ofn, ac yn wyneb y fath
anogaeth garedig, ymdrechodd Laura Elin i wasgu Deliago
Bianco o dan un gesail, i wthio y dintac i'w cheg ac i
drosglwyddo'r morthwyl o un law i'r llall. Dyna'r union
eiliad y dechreuodd Hywal sôn rhagor am y person.

" Wyddost ti be Laura? Mi ges i bishyn pum deg yn
bresant penblwydd gin y person."

Rhoddodd y gadair un wich flinedig arall cyn chwalu
i'r awyr yn gawod o goed tân.

Pan ddaeth Hywal ato'i hun wedi'r hyrddiau di-lyw-
odraeth o chwerthin cafodd ei hun yn eistedd ar lawr yng
nghanol y priciau. Gorweddai J. R. Jeremeia Hughes ar
ei fol ar y llawr cerrig yn nofio'i hochor hi—ond nad oedd
dim dŵr o'i gwmpas—a gorweddai ei fam ar gefn J.R.

wedyn, a'r gadwyn a ddaliai'r darlun wedi clymu'n ddwbl
am ei chorn gwddf.

Bu bron i Laura Elin fygu yn y fan a'r lle. Hywal yn
ei awydd i helpu yn mynnu troi'r darlun y ffordd groes ac
felly yn tynhau'r gadwyn am wddf ei fam yn hytrach na'i
llacio. O'r diwedd deallodd Hywal yr arwyddion egwan,
caed y darlun yn rhydd, a chafodd Laura Elin gyfle i gael
ei gwynt.

"Wyddoch chi be? 'Rydw i wedi llyncu . . . wedi
llyncu'r tintac."

"Hitia befo. 'Roedd 'na ddyn du o Affrica ar y
telifishion yn llyncu nodwydda' poeth. A . . . ag mae o'n
dal yn fyw achos mi welis i. . . ."

"Hywal?" holodd Laura Elin wedi iddi gael ei hanadl
yn ôl. "Hywal, ddeudist ti dy fod ti wedi cal arian gin
y person 'na . . . y gin Mistar Molyneux?"

'Roedd hi yn dod ati ei hun erbyn hyn ac yn fwy
gofalus o'i geiriau.

"Do."

"Faint?"

"Pum deg ceiniog."

"Pum deg ceiniog?"

"Ia, ylwch pishyn pum deg. Un newydd sbon."

"Wel yr hen gena gwynyllyd iddo fo." Llyncodd y
frawddeg. Fydda hi byth yn hoffi siarad yn isel am y
rheithor yng ngŵydd ei mab. Ond peth gwael oedd ffugio
tlodi ac yn rhoi pishyn pum deg newydd yn bresant pen-
blwydd i hogyn ysgol, a hynny hanner blwyddyn neu
ragor yn rhy fuan.

"Wel gofala di gadw'r pishyn mawr 'na yn saff i ti gal
prynu sana' a phâr o hancesi yn lle ryw hen sothach o
hyd."

" Reit," meddai Hywal, gan roi'r dernyn seithongl dros ei ben yn ei geg.

" A thynn yr hen beth o dy geg cyn i ti lyncu fo, a rhwmo'n gorcyn."

Daeth pesychiadau gwantan o gyfeiriad y llawr a sylweddolodd Laura Elin o'r Felin fod J. R. Jeremeia Hughes yn dal i nofio, a'i bod hithau yn dal i eistedd ar ei gefn.

" Brensiach y byd. Ydach chi'n iawn Mistar Hughes bach?" a chododd yn frysiog.

" 'Rydan ni gystal â'r disgwyliad," meddai J.R. yn sych, gan ateb yn union fel ysbyty.

" Wyddoch chi be? Mi ath yn sgwrs rhwng Hywal 'ma a finna' ac 'ro'n i wedi anghofio'n llwyr amdanoch chi. Fedrwch chi godi ar ych eistadd deudwch?"

'Roedd J.R. yn falch i gael rhoi heibio'r nofio ac ymdrechodd i godi ar ei eistedd.

" Ty'd, Hywal. Cythra i fraich Yncl Hughes a rho help iddo fo godi ne . . . ne mi fygith yn gorn iti."

Ufuddhaodd Hywal, a chyda'r help hwnnw a chan ollwng ochenaid ddiolchgar cododd J.R. ar ei eistedd. Aeth Laura Elin ati i lacio'i goler a datod ei wasgod er mwyn iddo allu anadlu'n rhwyddach, a'r union eiliad honno agorodd y drws ffrynt.

" Oes yna bobol yma? Maddeuwch fy hyfdra yn cerdded i mewn fel hyn."

" Fflam ulw ma'r person yma," sibrydodd Laura Elin, dan ei gwynt. Ymdrechodd J.R. i godi ar ei draed.

" Sefwch yn llonydd da chi i mi gal cau'r wasgod 'ma. . . ."

Ond 'roedd bysedd tewion Laura Elin fel bysedd toes ac yn gwasgaru i bob cyfeiriad. Yn wir, yn ei braw 'roedd hi'n cau ac yn agor yr un botwm drosodd a throsodd.

"*Dear me* beth ydy hyn Miss Williams? 'Rydw i'n synnu braidd. Ydw, mi 'rydw i *yn* synnu braidd."

'Roedd y gŵr eglwysig wedi amau'r gwaethaf cyn cyrraedd i Nefoedd y Niwl, a bellach 'roedd ei ragfarnau yn peri iddo gamddeall y sefyllfa yn llwyr. Sylweddolodd fod y gŵr â'r wasgod agored yn gwneud ymdrech glodwiw i godi ar ei draed ac aeth ato i'w helpu. Cafodd ysgwyd llaw yr un pryd.

"Falch o'ch cyfarfod chi, syr," meddai J.R. yn annifyr.

"A minnau . . . ond nid yn y sefyllfa hon ychwaith. Edward Molyneux ydw i. Person y plwy' 'ma."

"Falch o'ch cyfarfod chi, syr," meddai J.R. am yr eildro gan gau ei wasgod yr un pryd.

Aeth y Person ymlaen.

"'Roedd Miss Williams yn *arfer* bod yn un o ffyddloniaid y gwasanaeth boreol." Credai Molyneux fod ceryddu ac annog ymhlith ei ddyletswyddau bugeiliol. "'Roedd Sant Dyfrig yn unig iawn y bore 'ma heb ei chwmni hi."

Gwelodd Laura Elin y byddai yn rhaid iddi egluro'r sefyllfa yn hwyr neu'n hwyrach.

"Hywal, dos allan i . . . i hel wyau."

"'Dos gin Yncl Hughes ddim ieir."

Gwingodd y Person—'roedd yr agosatrwydd teuluol 'ma yn mynd i'r byw.

"Mi glywist ti be ddeudis i? Dos allan, ac os na chei di wyau ieir chwilia am wyau cornchwiglod."

Llusgodd Hywal i gyfeiriad y gegin yn draed i gyd.

"A 'rŵan, Mistar Molyneux, i ni gal dallt yn gilydd."

"'Dos dim rhaid i chi gynhyrfu eich hunan, Miss Williams."

"Mi ddois i'r Nefoedd y bore 'ma i roi hand bach i Mistar Hughes 'ma hefo'r dodran a phetha felly. Trio byw

B

fy nghrefydd, Mr. Molyneux, fel 'dach chi wedi deud wrthan ni yn yr eglwys 'na gannodd o weithia."

" Cweit, cweit, L . . . Miss Williams."

Er cymaint ei serch tuag ati gwell ei thrafod ar yr un tir ag aelod cyffredin yng nghwmpeini gŵr dieithr.

" Y bore 'ma oedd y tro cynta i mi golli ers blynyddoedd. Fyddwch chi byth yn cyfri y troeon 'rydw i *wedi* bod, a hynny drwy law ac eira a barrug a niwl a phob sothach o dywydd."

" Ond yn rhesymol wasanaeth ni ydy . . . ydy. . . ."

" A pheth arall. . . ." Dechreuodd Laura Elin ollwng dagrau cogio, rhai mawrion fel marblis. " Sawl tro 'rydach chi wedi sibrwd petha mawr yn y nghlust i? A sawl tro 'dach chi wedi addo gofalu am Hywal 'ma nes medar o ofalu amdano'i hun? A sawl tro 'dach chi wedi torri'ch gair a chitha'n *berson*?"

Safai J. R. Jeremeia Hughes fymryn o'r neilltu yn hymian yn annifyr. Hoffai ddod i mewn i'r frwydr a chadw pen y wraig a wnaeth gystal brecwast iddo, ond glynai ei dafod yn ei ddannedd gosod, ac er iddo ymdrechu'n galed ni allai yn ei fyw yngan gair. 'Roedd y wraig, ar y llaw arall, yn eithriadol huawdl.

" O, mi wn ar ych llygad chi ych bod chi'n meddwl y mod i wedi bod yn ddynas ddrwg."

" 'Rydach chi'n camu'n rhy fras yn awr, Miss Williams."

" 'Dydw i ddim yn camu hannar digon bras i ddal ych siort chi. Y cwbwl ydw i am 'i neud ydy achub fy nghymeriad. Ma' hwnnw gin i o hyd. A'r cwbwl o'n i yn 'i neud cyn i chi ddwad i mewn oedd sefyll ar ben y gadar 'ma."

" Pa gadair?" holodd y person yn ddryslyd wrth weld Laura Elin yn y fath stêm yn pwyntio at y llawr.

" 'Rhoswch i mi orffan newch chi? Y gadar sy'n bricia tân o gwmpas ych pegla chi. Pan o'n i'n sefyll ar fraich yr hen beth mi chwalodd yn ddarna' o dana' i. Syndod y byd na fasan ni'n tri yn gracia byw erbyn hyn ac wedi'n lapio mewn plastar paris."

" Mae'n ddrwg gen i am ych profedigaeth chi," meddai'r Parchedig yn glên. Bu hon yn frawddeg stoc ganddo ers deunaw mlynedd a rhagor, ac 'roedd yn un dda iawn iddo wrthi yn wyneb rhyferthwy annisgwyl Laura Elin o'r Felin. Ond 'roedd rhagor i ddod.

" Meddwl 'roeddach chi bod 'na ryw ddrwg yn y caws rhwng Mistar Hughes 'ma a finna?"

Ceisiodd y person brotestio ei ddiniweidrwydd.

" O, mi 'rydw i wedi gwrando digon arnoch chi'n pregethu i wybod sut ma'ch meddwl chi'n gweithio. O ydw! 'Ro'n i'n datod i wasgod o er mwyn iddo fo gal 'i wynt ato, a dim arall. A'r cyfan o achos llun yr hen gath wirion 'ma," ac i brofi ei gwyryfdod diamheuol trosglwyddodd Laura Elin y darlun i freichiau'r person a dechreuodd wylo'n hidl unwaith yn rhagor.

Wedi cydio yn y darlun neidiodd y person yn ei unfan, yn union fel petai delw Lloyd George ar faes Caernarfon wedi cael pigiad cacwn. Ymestynnai ei ddiddordeb mewn darluniau yn ôl i ddyddiau coleg, pan ddechreuodd Vic Jones, ei ffrind ysgol, ac yntau gasglu hen bethau: sbeuna ymhob twll a chongl am ddodrefn neu lestri neu, os yn bosibl sut yn y byd, hen ddarluniau. Mae'n wir i hobi Vic esgor ar elw a sicrhau bywoliaeth fras iddo yn rhywle ar y gororau, ond 'roedd y person yntau yn dal i gael ei symud gan weithiau"r meistri. Trodd ei gefn at y golau a dal y darlun hyd breichiau oddi wrtho.

" Y Nefoedd o'i chymylau," meddai'n frwdfrydig, " os nad ydw i'n methu yn arw gwaith yr hen Bianco ydy hwn." Daeth â'i drwyn at y paent. " Gwaith gwreiddiol hefyd yn ôl pob golwg. 'Does 'na ddim siawns o gwbl bod y llun hwn ar werth?"

Wedi bod ar y dalar mor hir 'roedd J.R. yn falch o gael dod yn ganolbwynt y sgwrs o'r diwedd, a syrthiodd i un o'i bechodau parod—brolio.

" Ydy mae o ar werth. Mae o ar werth pan ga' i gwsmer all fforddio'i brynu o."

Gwyddai Molyneux yn dda fod darluniau gwreiddiol Deliago Bianco yn bur brin, ond gwyddai hefyd fod sawl artist llai wedi dynwared yr Eidalwr, a hynny i berffeith-rwydd bron.

" Ffrind i mi gwelodd o," meddai J.R. yn bwysig, " mewn arwerthiant gwaith yn Lerpwl 'cw, a'i brynu o yn anrheg i mi."

Ond 'roedd y Parchedig Edward Molyneux wedi croesi i fyd arall erbyn hyn ac yn rhythu i fyw llygad y gath fach fel petai o mewn llesmair. Sylwodd Laura Elin o'r Felin fod y llun bondigrybwyll yn mynd rhyngddi a'i hoffeiriad, ac meddai hi yn grafog:

" Ydy'r dyn glân 'ma yn mynd i gal cathod bach deudwch?"

Fodd bynnag, 'roedd y rheithor bellach y tu hwnt i sen. Ymledai gwên arall-fydol dros ei wyneb fel y gwyliai edafedd bywyd yn ymblethu o flaen ei wyneb. *Os* oedd y darlun yn wreiddiol, fel y tybiai, a *phe* llwyddai i'w brynu am bris rhesymol yna byddai ei ddyfodol yn sicr.

6

WEDI'R cinio gafaelgar—bu pastai cwningen yn un o'i ffefrynnau erioed—ac wedi seboni ei fwstas, aeth yr Is-gapten Victor Jones drwodd i'w swyddfa gan feddwl anwylo rhai o'i blant. Tu allan i ffenestri'r plasty ymledai dolydd breision Sir Gaerwrangon yn eu holl ogoniant. 'Roedd, ac y mae Picton Hall, Little Mallet-cum-Picton yn un o'r plastai hyfrytaf ar y gororau, ac yn ei funudau dwysaf diolchai yr Isgapten Jones am gael bod yn fagwr cathod yng nghanol y fath hyfrydwch. Bu'n ddiolchgar erioed am fethiannau bywyd. Oni bai iddo fethu pob arholiad yn y Coleg Hyfforddi, a thorri dwy neu dair o reolau'r coleg ar ben hynny, byddai erbyn heddiw yn athro ysgol yn Llanilltud Faerdref neu rywle arall anniddorol, tebyg. Ac oni bai iddo gael ei hel i'r fyddin ac iddo yno gyfarfod â'r Uchgapten Cuthbert Mugwood, Picton Hall, byddai, fel y llwyr fwriadai ar y pryd, yn dal i hel yswiriant yn Ferndale. Un noson, yn ei feddwdod, aeth yr Uchgapten ati i ail-ysgrifennu ei ewyllys gan nodi ei fod yn gadael ei holl drysorau daearol i'w gyfaill Victor Jones, a'r un noson, ychydig oriau yn ddiweddarach, saethodd ei hun. Trueni i'r Uchgapten farw mor ddisyfyd ond, chwedl mam Victor, fu erioed ddrwg i neb nad oedd o'n dda i rywun arall.

Wedi eistedd yn y gadair freichiau â'r melfed coch—cadair oedd yn ddeucant oed os oedd hi'n ddiwrnod—cododd yr Isgapten Victor Jones y plentyn cyntaf i'w freichiau a'i ddal rhyngddo a'r golau. 1720-1725, dyna'r dyddiad cywir yn ôl yr ocsiwniar hwnnw yn Kidderminster, a diau ei fod yn weddol agos ati. Jar win Sieineaidd, las a gwyn oedd hi, un ddigon cyffredin hefyd oni bai am y

Ond a oedd y darlun yn un gwreiddiol? Vic Jones yn anad neb fyddai'r gŵr i gadarnhau hynny.

Cydiodd yn ei het, yn union fel petai mewn swyngwsg ac wedi ysgwyd llaw hefo Laura Elin a rhoi cusan i J.R.— y ddeubeth mewn camgymeriad—cerddodd allan drwy ddrws ffrynt Nefoedd y Niwl ac i gyfeiriad y Ficerdy. Cymaint oedd ei frys fel na sylwodd ar Hywal yn cyrcydu o dan ffenestr y parlwr wedi yfed y cyfan.

Wedi cyrraedd cegin y Ficerdy gwnaeth rywbeth y bu'n tynghedu ei wneud er deugain mlynedd a rhagor. Galwodd ar hen wraig ei fam i roi tân dan y popty a pharatoi cinio *cyn* dau.

ciconia hardd ar y topyn.   Dyma a'i gwnâi hi'n werthfawr.
Rhoddodd y jar yn ôl yn y cwpwrdd mor dyner ac esmwyth
â mam yn trafod ei chyntafanedig, a chydiodd yn y plât
Maiolica.   Do, bu'n eithriadol ffodus i ladd y ddau dderyn
hyn gyda'r un morthwyl, yn yr un ocsiwn.   Wedi rhoi'r
plât yn ôl yn ei wely cerddodd i gyfeiriad y ddesg, un
Ffrengig a'r dyddiad 1823 wedi ei gerfio arni, a chydiodd
mewn copi o'r *Antique Collector*.   O'i sefyll bwriodd olwg
brysiog dros ei gynnwys.   Fyddai dim yn well ganddo na
chael eistedd wrth y ddesg am weddill y p'nawn i ddarllen
am hen drysorau dynolryw, ond, yn anffodus, byddai yn
rhaid eu hanghofio am awr neu ddwy a mynd ati i garthu
dan y cathod.

Bu Mugwood farw, fel mae'n digwydd, cyn egluro am y
busnes cathod ac un o amryw amodau yr ewyllys oedd
cynnal a chynyddu y *Cuthbert's Cat Enterprise*.   'Roedd
bwydo'r mynarjari yn waith digon rhwydd ac 'roedd y
cathod yn paru heb unrhyw gymorth dynol—y carthu,
dyna'r dasg anhyfryd!   Pe cynigiai Picton Hall yn grwn,
ac fe wnaeth hynny cyn heddiw, ni allai gael neb i ym-
gymryd â'r gwaith.   Ond pan fyddai Victor Jones yn
paratoi i yfed ffynhonnau chwerwon Mara deuai geiriau
anfarwol hen wraig ei fam yn ôl iddo ar draws y blynydd-
oedd—" Ni cheir y melys heb y chwerw."

Fel y casglai y gêr carthu at ei gilydd, y gas masc a'r
menyg rwber, clywodd leisiau yn y cyntedd a chododd ei
galon.   Y wraig honno o Burton-on-the-water mae'n debyg
wedi newid ei meddwl ac am brynu y gath *ankara* wedi'r
cyfan.   Daeth y lleisiau yn nes.   O leiaf 'roedd llais
bariton Ma' Mollington yr howscipar i'w glywed ar yr
awel.   Un arall o amodau'r ewyllys.   Am unwaith o leiaf,
'roedd hi'n tywys cwsmer i'r swyddfa yn lle i'r pantri.

Wedi cnoc fel daeargryn lluchiodd Ma' Mollington y drws ar agor nes dawnsio o'r plât Maiolica mewn dychryn mawr.

"E's 'ere, sir," wrth yr ymwelydd, a "cust'mer to see you," wrth yr Isgapten cyn rhoi jyrc arall i'r drws a'i gau yn glep. Bu hanner eiliad o dawelwch, yna neidiodd yr Isgapten fel samwn mewn clymau chwithig—a chaniatáu bod samwn yn cael clymau chwithig. Y Nefoedd las onid ei hen bartner ysgol oedd hwn? Hwnnw fu'n ddigon anffodus i basio'n berson.

"'Rhen Fol, sut wyt ti?"

Dros y blynyddoedd llwyddodd Edward Molyneux i anghofio'i lasenw ysgol a loes iddo oedd gweld y briw yn cael ei agor fel hyn ond, o leiaf, 'roedd ei hen gyfaill yn falch o'i weld.

"Sut wyt ti, Vic? Madda i mi am dorri ar dy draws di fel hyn."

"Falch sobor o dy weld di 'rhen foi. Stedda, stedda, stedda. 'Rwyt ti'n dal yn y goler mi wela'. Lle ma'r plwy Mol?"

"Bol y Mynydd," atebodd Edward Molyneux yn swil, a chafodd yr ateb a ddisgwyliai.

"Bol be? A lle ddi . . . maddau i mi, 'rhen foi . . . a lle ma'r lle hwnnw?"

Wedi i'r person sicrhau'r Isgapten fod y fath le mewn bod aeth y ddau i sgwrsio am wanwyn bywyd yn Nyffryn Clwyd, ac i ganmol troeon yr yrfa.

"Mae dy linynnau di wedi disgyn mewn lleoedd hyfryd, Vic."

"Paid â dechrau siarad fel person yn syth. . . . Y, ga' i lychu dy big di? Sieri?"

"Diolch yn fawr."

Fel y tywalltai'r Isgapten Jones y coch i'r gwydrau cafodd Molyneux saib i edrych o'i gwmpas.

"Mae gen ti drysorau yn fan yma, Vic? 'Ro'n i'n gweld yn y papurau dy fod ti'n dal i fod yn dipyn o arbenigwr ar hen bethau."

"Y. . . ?"

"Dweud 'roeddwn i bod gen ti bethau hardd yma. Jacobian ydy'r bwrdd yma?"

"P'run?"

"Y bwrdd crwn sydd ar y chwith i'r ddresal Gymreig."

"O, ia! O Groesoswallt y daeth hwnna. Iechyd da i ti," gan basio'r sieri i'w hen gyfaill.

"Diolch, Vic."

"Be wyt ti'n feddwl o hon?" meddai'r Isgapten yn frolgar, gan estyn y jar win eilwaith o'i gwely. "'Chydig o ddyddia sy' er pan ges i afael yn hon."

"Sieineaidd ydy hon," mentrodd Molyneux yn araf-ofalus.

"Go dda ti. Faint fasat ti'n ddeud ydy'i gwerth hi?"

"Wnaiff hi ganpunt?"

Chwarddodd yr Isgapten Jones yn gynnil drwy'i fwstas a throi'r stori.

"Gobeithio Mol, dy fod ti wedi sadio ar ôl y bedydd esgob—ne' beth bynnag ydach chi'n gael cyn bod yn bersoniaid. Wyt ti'n cofio ni'n ffair y Borth stalwm a thithau'n clymu'r stondinau goes wrth goes?"

'Doedd Edward Molyneux ddim yn dymuno cofio. 'Roedd rhai pethau a gyflawnodd yn nhymor ei adolesens yn llawer gwell o'u anghofio.

"Siŵr iawn dy fod ti," meddai ei gyfaill yn afieithus. "Y chdi hefyd ddaru glymu y rhaff wedyn am echel y dybl decar, a chau y ffair am y noson."

Bu'n rhaid i Molyneux anghofio cyfrifoldeb ei swydd am ychydig eiliadau ac ymollwng i chwerthin yn harti.

"Ma' hi'n dda gynddeiriog nag ydy'r saint ym Mol y Mynydd acw ddim yn gwybod dy hunangofiant di yn llawn. Beth am y. . . ."

Daeth yn dro i'r Parchedig Molyneux i droi'r stori.

"Gwranda, Vic. Wyt ti'n dal i ymddiddori mewn hen ddarlunia? 'Roeddat ti'n gryn feirniad 'stalwm."

"O, ma'r galeri i fyny'r grisia'. Tyd mi awn ni i gal cip arnyn nhw . . . hynny ydy os wyt ti wedi gorffen slotian. Gymeri di ragor, Mol?"

"Dim diolch," meddai Molyneux, gan daro'r gwydryn ar y bwrdd a chodi ar ei draed. " 'Rydw i yn un o'r ychydig ficeriaid sych sydd ar gael."

Treuliwyd orig ddiddorol yn astudio'r campweithiau oedd yng nghasgliad Picton Hall, ac nid cyn i'r bariton wneud te bach i ddau yn y consyrfatori y llwyddodd y Parchedig Edward Molyneux i ddod at brif bwynt ei ymweliad.

"Vic, wnei di gymwynas fach i mi?"

"O," meddai'r Isgapten yn wawdlyd, "mae 'na dro yn 'i chynffon hi wedi'r cwbwl. Wedi deunaw mlynedd o dawelwch 'ro'n i'n amau ma' nid dod yma i holi am fy iechyd i 'roeddat ti, ond dos ymlaen."

Cymerodd Molyneux lwnc o de a bu bron iddo fygu yn gorn.

"Ydy o'n rhy gry i ti, Mol?"

"Na, na ma'r te yn iawn. Llosgi fy nhafod wnes i."

"O."

" 'Rhen Vic, mi wnei di gymwynas i mi? 'Rydw i mewn picil braidd."

" Wel prioda hi, dyna fydda cyngor dy dad i ti bob amser."

" Na, nid picil fel 'na—'rydw i'n rhy hen i hynny, bellach. Vic, mi 'rydw i wedi syrthio mewn cariad, dros fy mhen a fy nghlustia."

" Aelod?"

" Un o'r ffyddloniaid hynny."

" Gwaeth fyth."

" Na, clyw. Miss Williams ydy 'i henw hi, Miss Laura Elin Williams o'r Felin, ac mae ganddi hi un mab, Hywal."

Mewn stad o sioc llyncodd yr Isgapten Victor Jones hanner macarŵn heb ei chnoi a bu bron iddo golli'r dydd. Yn raddol daeth i anadlu'n rhwyddach. Meddai, " Ond Mol bach, mi ddylet ti fod wedi 'i modrwyo hi ymhell cyn hyn."

Newidiodd gwedd y person ac aeth yn bur blagarllyd. Mewn ychydig eiriau eglurodd fel yr oedd ei annwyl Miss Williams wedi syrthio yn gwbl ddiarwybod iddo ef a bod y Llyfr Gweddi yn gofyn i ni faddau bawb i'n gilydd, ac yna aeth ymlaen i sôn ychydig am ei dlodi.

" Tydw i ddim wedi bod mor ffodus â thi, Vic. Mi fyddwn i yn modrwyo Miss Williams fory nesa pe byddai'r capital iawn gen i ond," a daeth mwy o fywyd i'w lais, " gyda dy help di ma' hi'n bosib newid yr amgylchiadau hynny hefyd."

" Wel, ma gen i ofn na alla *i* ddim helpu fawr arnat ti, Mol bach. Yn allanol ma' petha yn edrach yn flodeuog yn Picton Hall ond mi fydd yn rhaid i mi gael cwsmeriaid i'r cwrcath Seiamis a'i dylwyth plant cyn y medra i wadd y manijar banc i de."

Wedi gwrando ar y nodyn hwn ym mhrofiad ei gyfaill sylweddolodd Molyneux fod yr awr i daro'r haearn wedi gwawrio. Aeth ymlaen i sôn am y llun.

" Ydy Bianco yn cyfleu rhywbeth i ti?"

" Deliago Bianco?" holodd yr Isgapten yn wyllt. " Eidalwr 1723-1771, yr arlunydd anifeiliaid gorau a welodd Ewrop erioed. Biti nad oes 'na fawr ddim o'i waith gwreiddiol o ar gael." Y frawddeg olaf mewn tonydd-iaeth ychydig yn is.

" *Mae* 'na lun o'i waith o ar gael."

" Y?"

" Mae 'na lun o'i waith o ar gael—os y gellir profi 'i fod o yn un gwreiddiol."

" Be' oes gen ti lun o waith Bianco yn Bol y . . . beth bynnag ydi enw'r lle?"

A dyma'r awr, ym mhrynhawnol hedd y consyrfatori, y mentrodd y Parchedig Edward Molyneux i'r môr. Dat-gelodd gyfrinachau dyfnaf ei galon. Rhoddodd ddisgrifiad cynnil, lliwgar o Nefoedd y Niwl a'i berchennog newydd, a nyddodd salm o foliant pur i ferch y Felin.

" Wel," meddai'r Isgapten pan gafodd gyfle i fwrw ei hatling i'r drysorfa, " Mi fedrwn i 'nabod gwaith Bianco yn smwc Manceinion â mwgwd am fy llygaid."

Yn araf a sicr taflodd Edward Molyneux yr abwyd ymhellach i'r dŵr ac yn unol â'i gynllun aeth Vic Jones allan ar ôl yr abwyd yn geg-agored. Petai hi'n bosib' i'w gyfaill caredig ac adnabyddus ddod ar ymweliad deuddydd â Bol y Mynydd a phetai'n bosib' iddo yn ystod ei ymwel-iad roi ei farn garedig ar y campwaith, a thystio i'w wreidd-ioldeb, yna gallent brynu y darlun hanner yn hanner, ei ail-werthu yn Llundain neu ym Mharis, a rhannu'r ysbail. O werthu Bianco câi yr Isgapten Victor Jones gyfalaf i brynu rhagor o gathod, câi yntau brynu nyth cysurus i Laura Elin a'i mab Hywal, a byddai pawb a phopeth yn hapus a dedwydd byth mwyach.

Anwylodd Victor Jones ei fwstas. 'Fyddai dim yn fwy derbyniol na deuddydd o wyliau mewn ficerdy yn y wlad, ymhell o oglau cathod. (Holodd rhag ofn fod yr hen Mrs. Molyneux yn hoff o gathod ac yn eu magu, ond cafodd ateb pendant i'r gwrthwyneb.) Y broblem fwyaf fyddai sicrhau carthwr cathod. Hwyrach y byddai Ma' Mollington yn fodlon i roi daliad deuddydd ond byddai yn rhaid ei gwobrwyo yn hael am y cymwynas. Y broblem arall, wrth gwrs, fyddai dyfeisio esgus dros dreulio deuddydd ym Mol y Mynydd a chael esgus pellach dros dreulio awr neu ddwy yn astudio gwaith Bianco yn y lle hwnnw a elwid yn Nefoedd y Niwl.

Yn ddiarwybod iddo'i hun, bron, cafodd y person y peth prin hwnnw a elwir yn ysbrydoliaeth. Dywedir fod rhai beirdd wedi cael profiad tebyg. Edrychai fel cocatŵ ar gorwynt ond 'roedd gwên nefolaidd ar ei wyneb.

"Vic Jones," meddai'n grynedig. "Vic Jones o Picton Hall, Little-Mallet-cum-Picton, 'rydw i wedi 'i gweld hi! 'Fedri di bregethu?"

"Na fedra. Wel, dim heb i mi drio beth bynnag."

"Ardderchog. Mi fydd angen i ti gyfansoddi clipar o bregeth erbyn y pymthegfed o Orffennaf. Pregeth yn sôn am rybuddion a duwiol gynghorion Sant Swithin i bechaduriaid ein cenhedlaeth ni."

"Be gyn. . . ?"

"Clyw." 'Roedd Molyneux yn sefyll ar ei draed ac yn pwyso ar y bwrdd te.

"Mae'r eglwys acw yn cynnal gŵyl bregethu flynyddol i ddathlu bywyd a marwolaeth Sant Swithin—ymdrech i

gyfarfod ymneilltuaeth ar ei dir ei hun, a rhyw lol felly—
ac un o ychydig freintiau rheithor Sant Dyfrig ydy cael
dewis cennad i'r Ŵyl."

Gwelodd yr Isgapten bendraw y rhesymeg ac yn ei
fraw cododd yntau a phwyso ar y bwrdd. Carlamai y
person yn ei flaen fel stalwyn blwydd.

"Ac felly y pregethwr gwadd am eleni," gan ffugio
blaenor Methodus yn cyhoeddi, "fydd y Parchedig Ganon
Victor Jones, M.A., H.C.F., Little-Mallet-cum-Picton, Sir
Gaerwrangon—un o'r Cymry ar wasgar."

Cafodd y Parchedig Edward Molyneux beth trafferth i
berswadio'r carthwr cathod i droi'n bregethwr gwadd ond
wedi addo iddo hyd hanner ei dda, fe'i cafodd i gydsynio.

'Roedd yr Isgapten am i'w hen gyfaill aros noson er
mwyn iddo gael ychydig wersi mewn traddodi, ond
cofiodd Molyneux ei fod yn deithiwr mewn car benthyg ac
y byddai'n rhaid dychwelyd hwnnw i'r modurdy cyn
hanner nos.

"Mi anfoni di stwff i mi?"

"Y?"

"Mi anfoni di lyfrau ac yn y blaen i mi, yn sôn am y
dyn yna?"

"Yn sôn am bwy?'

"Am y Swithin 'ma."

"O, gwnaf."

"A dillad?"

"Y?"

"A choler gron a'r peth llaes hwnnw i roi drosti?"

"Gwnaf."

"Ac mi 'rwy ti'n *siŵr* y bydd popeth yn iawn?   Beth
am yr esgob?"

Ni ddaeth ateb i'r Isgapten Jones. 'Roedd y Parchedig Edward Molyneux eisoes yn tanio'r car ac yn paratoi i gychwyn. Wedi canu ffarwel gwta ar y corn diflannodd y gyrrwr ym mhlygion y dreif, ac wedi cegiad o awyr iach dychwelodd yr Isgapten i'w swyddfa i gasglu'r gêr carthu. Yna, cerddodd yn ansicr i gyfeiriad y symffoni o regfeydd a esgynnai o'r cytiau cathod.

7

Un o'n beirdd coleg biau'r epigram cofiadwy hwn—"Tŷ
Cownsil ydy tŷ cownsil ar bum cyfandir." Sylw craff,
mae'n wir, ac un wedi ei wisgo yn gynnil ddigon ond
mae'n amlwg na fu i'r bardd hwn erioed gerdded i fyny
Duke Street, Cement Park, Bootle, rhwng deuddeg ac un
ar nos Sadwrn. Y nawfed tŷ ar y chwith, hwnnw hefo
sgerbwd pram yn yr ardd ffrynt, oedd cartref Mr. Bill
Pringle, ei wraig Esther, eu pum plentyn a spaniel clustiog
o'r enw Scoobi Doo. Trist cofnodi ond dyma hefyd,
bellach, unig gartref Violet Sandra Pringle—un a fu, un-
waith yn forwyn ffyddlon i J. R. Jeremeia Hughes.

Llipryn hir pen-golau oedd Bill Pringle, y peth tebycaf
a welsoch chi erioed i gannwyll wedi ei goleuo, ac un
eitha diddan er ei fod o yn ystyried ei hunan yn holl-
wybodus. Câi Shakespeare fawr drafferth i ddisgrifio
Esther Pringle. Fel rheol byddai hi'n guddiedig o'r tu ôl
i glytiau trwchus o fwg sigaret, ac eto clywid ei phesych-
iadau yn debyg iawn i rai stalwyn Bodarnabwy wedi iddo
ddal llwch gwair. Am weddill y teulu 'does 'na fawr i'w
gofnodi. Grymusai y pum plentyn mewn drygioni fel y
cynyddent mewn corff, ond am y spaniel, dirywiai hwnnw
mewn diwydrwydd fel yr âi yn hŷn gan dreulio ei holl
fywyd bron, yn crwydro yn ôl a blaen rhwng y ddysgl
fwyd a'r tân nwy.

Y nos Sadwrn o dan sylw 'roedd pawb gartref yn
gwylio'r teledu, a'r gymysgfa o floeddiadau a saethiadau
a lifai allan yn ddiddiwedd o berfedd y bocs sŵn fel pe'n
dwyn y teulu mawr yn nes at ei gilydd. *"I'm two-gun-
Tiger, the terror of Dirty Creek,"* meddai'r cowboi talgryf
gan ddisgyn oddi ar ei farch a chynnig ei law i ferch lygat-

ddu a olchai frat yn nŵr yr afon; a'r eiliad honno rhoddodd
Violet Pringle fref ddolefus fel llyffant dan annwyd a
llithrodd o'i chadair, dros gefn Scoobie Doo, i orwedd yn
ddiymadferth o flaen y tân nwy.

Fu erioed y fath banic mewn tŷ cownsil. Neidiodd
Bill Pringle ar ei draed, fel petai o yn jac-yn-y-bocs, gan
weiddi deubeth ar yr un gwynt—fod ei chwaer wedi marw
ac y dylai ei wraig nôl dŵr iddi. Comiwtiai Esther druan
rhwng y scylyri a'r gegin gan ysmygu, a phesychu, a
thasgu dŵr i bobman. Amrywiai'r plant yn eu hymateb.
Rhai yn wylo a'r gweddill yn chwerthin. (I fod yn fanwl,
tri yn wylo a dau yn chwerthin.) Ond am Scoobie Doo,
cymaint oedd ei fraw o fel y neidiodd o'i union sefyll o'r
mat i dywyllwch y twll dan grisiau, a phe cynigid iddo
y bwyd ci pereiddia erioed ni ddeuai yn ôl at y tân nwy
wedyn. Y claf ei hunan, mae'n debyg, oedd y mwyaf
hunanfeddiannol o bawb. Gorweddai Violet ar y mat
lliw hufen yn fyddar i'r byd ond bob hyn a hyn rhoddai
gic gyda'i throed chwith a mwmian rhyw eiriau dieithr.

"*Think she be cumin round soon, luv,*" meddai Esther
yn ddeallus gan dywallt mesur o ddŵr oedd yn debycach
o'i boddi na'i gwella. "*She's mumlin sumthin bout ' Jerry
back' and ' nool.' Aint she queer, Bill?*"

Un o Bacistan oedd y doctor, Abdul Mugtash, ond yn
ŵr llawen er gwaethaf ei enw, ac yn un y gellid ei godi
ar unrhyw awr o'r nos heb ofni brathiad. Gwyddai yn dda
am deulu'r Pringle, ac wedi cael y wŷs cerddodd ar ei
union o far y Ship Aground i fyny Duke Street ac i mewn
i gegin lom rhif naw. Ei sylw cyntaf, wrth weld Violet
yn nofio ar ei chefn mewn dŵr oedd, "*I should have
brought my swimming trunks with me.*" Mewn ychydig
eiliadau rhoddodd archwiliad manwl i'r claf gan ei chornio

yn ofalus a gofyn llu o gwestiynau i'r teulu. Pwy ond
meddyg o Bacistan a fuasai'n gofyn i deulu o Cement Park
ar nos Sadwrn beth a gawsant i swper. Petai o wedi troi
i ben ychydig i'r dde fe fyddai wedi gweld gweddill
ffagotsen ar blât un o'r plant.

O beth i beth daeth Violet i ystwyrian mwy a mwy, a
barnodd y meddyg fod yr amser wedi dod i'w chodi hi
yn ôl i'w chadair. Fel yr oedd Bill Pringle yn mynd i
gydio yn ei phen a'r meddyg yn mynd i gydio yn ei thraed
rhoddodd Violet gic ffyrnig, gyda'i throed dde y tro hwn,
a tharo'r Doctor Abdul Mushtag ym mhwll ei stumog.
Ofnai Pringle y byddai'n rhaid iddo gael meddyg at y
meddyg yn ogystal, ond daeth hwnnw ato'i hun pan glyw-
odd y claf yn dechrau mwmian drachefn.

"She's botherin something in a foreign language.
'Soosh glake.' What the heck does she mean? Does she
speak any foreign languages?" Tystiodd Pringle mai Saes-
neg pur oedd, ac a fyddai, unig iaith ei gartref ef ac na
feiddiodd ei chwaer, hyd y gwyddai, erioed ynganu unrhyw
iaith arall.

Wrth weld eu penbleth sychodd un o'r plant ei ddagrau,
Baldwin, yr ieuengaf ond un, a dod i'r adwy. "Aunty Vi
used to look after Uncle Jerry and him was Welsh," medd-
ai'r bychan gan ochneidio rhwng pob sill. Wrth glywed
y gair 'Welsh' agorodd Violet Pringle un llygad a gwenu
ar bawb, ond ar y meddyg. Oedd, 'roedd hi'n dod ati'i
hun o'r diwedd.

Gollyngodd y Doctor Abdul Mugtash ddwy dabled i
wydriad o ddŵr nes oedd hwnnw'n ffrothio fel posal, ac
yna gorchmynnodd i Violet yfed y gymysgfa ar ei thalcen.
Cyn pen ychydig eiliadau wedi yfed y gymysgfa teimlai'r
claf yn llawer gwell, ac yn fuan iawn 'roedd hi mewn

cywair i gynnal *post mortem* ar ddigwyddiadau'r noson. Yn wir, yn y diwedd, y hi ac nid Abdul gynigiodd y diagnosis.

'Roedd y meddyg yn sylweddoli ei bod hi mewn 'stad sigledig ond y dirgelwch iddo ef oedd beth achosodd y fath sigl. O dipyn i beth holodd hi am y geiriau tramor. Ni chofiai Violet iddi yngan yr un gair dieithr, ond wedi i Esther ei hatgoffa hi o'r geiriau fe gofiodd ar unwaith. Ie, geiriau Cymraeg oedd y cyfan ond 'roedd ystyr rhai ohonynt yn ddieithr iddi hithau. "*Nool is the name of that place in the back of beyond where Mr. Hughes has gone to roost, and you know,*" a daeth gwrid ugeinmlwydd i wyneb Violet, "*Jerry back was the name I used to call him on Christmas and special occasions.*" Ond wyddai hithau ddim beth oedd ystyr '*Soosh glake*' er y credai iddi glywed J. R. Jeremeia Hughes yn ei ddefnyddio wrth sôn am garu neu gusanu.

Wedi darganfod achos yr afiechyd traddododd y meddyg sgwrs fer ac unochrog. 'Roedd Violet Sandra Pringle, yn ei farn ef, er bod croeso iddynt ofyn am ail opiniwn pe gallent fforddio, yn dioddef oddi wrth afiechyd hynaf yr hil ddynol—hiraeth. Un o'r afiechydon anoddaf i'w wella o bob un. Hwyrach fod rhyw olygfa ar y teledu neu frawddeg mewn sgwrs wedi bod yn ddigon i agor fflodiart diogelwch a pheri i ffrwd o atgofion lifo dros y meddwl a chwalu'r cydbwysedd. Tystiai Abdul ei fod yntau, o dro i dro, wedi cael plyciau o hiraeth am wlad ei dadau ac mai'r unig feddyginiaeth iddo ef ar adegau tywyll felly oedd dychwelyd i Bacistan i gerdded yr hen lwybrau. (Dylid cofnodi fod Abdul Mugtash, nid yn unig yn feddyg, ond hefyd yn gryn fardd, a bod dwy neu dair o'i delynegion wedi ymddangos eisoes yn "The Bombay

Opinion News Pictorial.)   Y prisgripsiwn gorau i Miss
Pringle yn ei farn ef, er bod croeso iddynt ofyn barn ar-
benigwr, fyddai cwrdd unwaith eto â'r gŵr a fu'n chwarae
rhan mor bwysig yn ei bywyd am gyhyd o amser.   Ni
hoffai Abdul i'r teulu bach feddwl amdano fel proffwyd
gwae ond yn ei farn ef, er bod croeso iddynt ofyn barn
arall, fe allai Miss Pringle gael ymosodiad cyffelyb yn y
dyfodol agos os na dderbynient ei gyngor.

Wedi   traddodi'r   anerchiad   a   gofnodwyd   uchod
cerddodd y meddyg Mugtash drwy'r llyn dŵr yn ôl i'r
stryd, a phrysuro i gyfeiriad golau neon y " Ship Aground."
Gobeithiai yn ei galon y byddai gwesteiwr caredig y Ship,
yn ôl ei arfer, wedi anghofio cloi y drws cefn.

*   *   *

Wedi ymadawiad y meddyg, wedi sychu'r dŵr, ac wedi
rhoi'r plant i glwydo caed pwyllgor o dri, a'r mater ger-
bron oedd afiechyd Violet a meddyginiaeth Abdul Mugtash.
Oedd hi'n teimlo'n well?   Oedd.   Oedd hi'n *siŵr* ei bod
hi'n teimlo'n well?   Oedd—yn siŵr!   Hoffai hi weld y dyn
Hughes 'na eto?   Hoffai—yn fawr!   'Wyddai hi lle 'roedd
y " Nool " 'ma?   Dim syniad.   Fyddai'r dyn Hughes 'ma
yn falch o'i gweld hi eto?   Na fyddai?   Hoffai hi gael
mynd am dro i " Nool "?   Fe hoffai hi hynny yn fwy na
dim os deuai teulu'r Pringle gyda hi.   Oedd hi yn ofni'r
dyn Hughes 'na?   'Roedd hi ofn i rywbeth ei bwyta
mewn lle pellennig felly.

Yn sydyn cofiodd Bill Pringle fod ganddo hanner
brawd yn Speke a bod gan hwnnw hanner carafan, a bod
gan ei hanner brawd arall yn Southport ryw fath o gar.
Pe cawsai fenthyg y garafan gan ei hanner brawd o Speke
a benthyg y car gan ei hanner brawd o Southport yna

gallai'r teulu cyfan fynd i weld y dyn Hughes, a chael gwyliau rhesymol yr un pryd. "*What about yer work, dear?*" holodd Esther yn bryderus, ond 'roedd Bill Pringle wedi croesi'r gamfa honno yn barod. Fe fyddai Abdul Mugtash yn deall y sefyllfa i'r dim, ac o dalu am ychydig goffi iddo ym mar y "Ship Aground" câi dystysgrif-hyn-sydd-i'ch-hysbysu yn egluro fod William Pringle, yn an-alluog i weithio ac yn debygol o fod yn afiach am oddeutu tair wythnos i fis.

Cyn i'r wawr wanllyd dorri dros Cement Park 'roedd y pwyllgor o dri wedi cadarnhau'r holl drefniadau, ac ar gais y ddau arall ysgrifennodd Violet Pringle lythyr hir-faith at J. R. Jeremeia Hughes. Pan gydiodd hi yn y beiro a gweld y geiriau J. H. Pen Co. Inc. wedi eu llythrennu arno mewn aur bu bron iddi gael ffitan arall, ond yn ffodus 'roedd y meddyg wedi gadael dwy dabled ar y silff-ben-tân rhag ofn, ac achubwyd y sefyllfa mewn pryd.

Gobeithiai Violet y byddai'r llythyr yn cael J.R. mewn cystal iechyd â hithau, gobeithiai ei fod yn setlo i lawr yn y lle anghysbell, ac eglurodd fel yr oedd gweddill y teulu yn Cement Park yn anfon eu cofion twym-galon ato yn ei unigrwydd.

O.N.—'Roedd hi'n gobeithio fod 'na le i barcio carafan rywle ar dir y fferm yn Nool.

8

FEL yr ymlafniai'r Parchedig Victor Jones gyda'i bregeth fenthyg suddai'r gynulleidfa yn eglwys hen Sant Dyfrig yn is ac yn is i'w seddau. 'Roedd yr hanner dwsin byrraf eisoes o'r golwg. Ni chofiai'r Ymneilltuwyr iddynt glywed yr un ddawn fawr er pan sefydlwyd yr ŵyl, ac eithrio'r Bedyddiwr hwnnw oedd wedi troi ei gôt, ond yn wir 'roedd y sgrechiwr hwn yn ganmil gwaelach na'r gwaelaf o'r rheiny. Tair pregeth Gŵyl Ddiolchgarwch wedi eu gosod ben wrth ben a gaed gan y mwyafrif o'r personiaid a ddaeth i'r ŵyl ond 'roedd hi'n amlwg nad oedd gan hwn bregeth ddiolchgarwch o gwbl.

Eisteddai'r Parchedig Edward Molyneux mewn cadair freichiau ar bwys yr allor. Byddai yntau wedi hoffi suddo i'w wenwisg ond, yn anffodus ni chaniatâi ei goler gron iddo wneud hynny; fel ailddewis, ac i dynnu ei feddwl oddi ar y cawodydd bytheiriadau a ffrothiai dros astell y pulpud, gwyliai ymateb amrywiol y gynulleidfa. 'Roedd Gwilym Thomas, Tyddyn Meirion, yn rhythu drwy'r unig wydr clir yn yr unig ffenestr liw i weld a oedd stoc Tyddyn Meirion yn dal yn eu cynefin—gallai bloeddiadau'r pregethwr yn hawdd eu hanfon dros y cloddiau. Wrth ei ochr eisteddai Gwen Thomas, ei wraig, â'i phen wedi ei blygu'n ddefosiynol. Gwyddai Molyneux ei bod hithau'n bugeilio bysedd ei wats arddwrn a hynny gyda mwy o ddiddordeb nag arfer. Unwaith y flwyddyn fel hyn gofidiai Gwilym a'i wraig eu bod wedi eu geni yn eglwyswyr. Fel Annibynnwr o argyhoeddiad dewisodd Elis Robaitsh, Tŷ Cam, barcio yn y sedd olaf un ger y drws, ac o bellter yr allor edrychai yn gwmni perffaith i'r hen fedyddfaen. Ond yr hyn a barai fwyaf o ofid i'r person oedd yr ym-

ateb annisgwyl a ddeuai o sêt y Felin. Gorai Hywal, yn
ôl ei arfer, yng nghornel y sêt gan bigo'i drwyn yn freudd-
wydiol ac eisteddai J. R. Jeremeia Hughes yn nes i gesail
Laura Elin nag oedd yn weddus mewn gwasanaeth eg-
lwysig, ond am Laura Elin ei hun, rhythai honno'n
gegrwth i fyw llygad y pregethwr, yn union fel pennog
ar gownter siop bysgod. Yr ymateb olaf hwn a barai'r
pryder mwyaf i'r person. Arfer Laura Elin o'r Felin
erioed oedd ymrwyfo drwy rannau arweiniol y gwasan-
aeth ac yna ymroi i gysgu gydol y bregeth.

" Mi wnaeth Noa sybmarîn fawr i'w gadw fo a'i deulu
drwy wlybaniaeth y Swithin," bloeddiodd y pregethwr.
" A ga i ych cynghori chithau un ac oll, i neidio i'ch eirch
cyn gynted â phosib'. Gyfeillion annwyl mi hoffwn i ych
gweld chi i gyd yn ych eirch."

Nid yn unig y dirywiai'r bregeth mewn synnwyr a siap
ond dirywiai hefyd mewn sŵn fel y sychai corn gwddf
y pregethwr wedi pum munud ar hugain o weiddi byddar-
ol. Dechreuodd yr Isgapten ei bregeth yn daclus ddigon
gan gyfarch ei annwyl gariadus frodyr yn ôl cyngor ei
gyfaill, ond aeth pethau ychydig yn flêr pan ddechreuodd
adrodd, yn gwbl ddi-gysylltiad, y stori am Edward
Molyneux ifanc yn clymu'r stondinau yn ffair y Borth.
Ar ôl hynny aeth yr hwch drwy'r eglwys. Petai gŵr o
brofiad y Dr. L. J. Manson, dyweder—awdur *The Flaming
Sermon*—yn gwrando ar y bregeth byddai'n debygol o
wneud y nodiadau a ganlyn:

1. Diffyg chwaeth. 2. Diffyg chwys (cyn yr oedfa).
3. Diffyg chwyth (i orffen y bregeth).

Fodd bynnag, fe lwyddodd y Canon Victor Jones i
ddwyn ei genadwri i ben, a hynny pan gododd awel ysgafn
o gyfeiriad yr allor a chwythu gweddill ei nodiadau dros

astell y pulpud i'r côr. Cyn tewi gwnaeth un apêl fyddar-
ol arall am i'w gyfeillion, pell ac agos, ar dir, ar fôr ac yn
yr awyr neidio i'w heirch.

*   *   *

"Vic?   Vic J. Royal Artillery?"

Sleifiodd Laura Elin a Hywal i'r festri heb i J. R.
Jeremeia Hughes, na'r person, na neb arall eu gweld ond
'roedd hi am wneud yn hollol siŵr cyn cofleidio.

"Ia . . . ia," meddai'r canon cogio yn araf gan wneud
ei orau glas i ddwyn y gwallt coch i gof.   Oedd hi'n bosibl
fod pechodau ei ieuenctid yn dal i'w ddilyn?   Yn sydyn—
cofiodd.

"Nid. . . . Nid Lwl?   Ia, Lwl . . . Waffs, D. Division,
B . . . Broadmead."   Cofleidiwyd.

"*Yma* 'rwyt ti'n byw?   ' *Back of beyond* '?"

"Ia.   'Dwyt ti, Vic, 'rioed yn *berson*?" gan godi'i llais
ar y gair olaf i ddynodi syndod.

"Na . . . dim. . . .   Sh . . . ma' 'na rywun yn dwad."

Cyrhaeddodd y Parchedig Edward Molyneux i'r festri
a J. R. Jeremeia Hughes ar ei fraich.   'Roedd o am gael
gwybod i b'le 'roedd Laura Elin a'r mab wedi diflannu,
ac am gael y cyfle i gyflwyno perchennog y Bianco i'r
gŵr gwadd.

"Dyma Mr. J. R. Jeremeia Hughes," meddai Laura
Elin gan neidio'r ciw, " y gŵr o Nefoedd y Niwl."

"A'ch gŵr chitha?" holodd Victor Jones yn ei anwybod-
aeth.

Neidiodd y ficer yn ei 'sgidiau a neidiodd i'r adwy yr
un pryd.   Taflodd ei law i gyfeiriad y gŵr gwadd.

"Y Canon Victor Jones o Little-Mallet-cum-Picton.
Canon Jones?"

Rhoddodd ei law yn dyner dros ysgwydd Laura Elin. "Gadewch i mi, yn ffurfiol, gyflwyno i'ch sylw Miss Laura Elen Williams o'r Felin, a'i hunig fab Hywal."

"Sut ydach chi Miss Williams? . . . A Hywal?" meddai'r canon, gan ysgwyd llaw i'r penelin gyda'r ddau. Fel cydnabyddiaeth rhoddodd y bychan winc fawr, ddeallus, ar un arall o gyn-gariadon ei fam.

"A dowch i mi gyflwyno i chi hefyd Mr. J. R. Jeremeia Hughes, perchennog newydd ffermdy eang o'r enw Nefoedd y Niwl, a'n gwesteiwr ni am heno."

'Doedd y canon ddim yn siŵr o ystyr y gair ' gwesteiwr ' ac yn lle ysgwyd llaw yn barchus ebychodd, "Y. . . ?" (I fod yn fanwl gwnaeth hynny ddwywaith.)

"Hefo Mr. Jeremeia Hughes y byddwn ni'n swpera heno. Mae o'n gasglwr darluniau o fri," ychwanegodd Molyneux rhag ofn i'r canon ofyn rhagor o gwestiynau twp.

"Sut ydach chi Canon Jones?" holodd J.R., "a diolch lawer i chi am eich cenadwri amserol." 'Roedd o newydd gofio y byddai ei dad yn arfer adrodd brawddeg felly yn union wedi pregeth. Gwingodd y Parchedig Edward Molyneux wrth wrando ar y fath gabledd ond aeth ymlaen. "'Doeddach chi ddim wedi cyfarfod Miss Williams o'r blaen, Canon?" Edrychodd Victor Jones o'i gwmpas i weld o b'le daeth y canon i mewn, ond cofiodd yn sydyn mai dyma'r teitl a osodwyd arno dros dro ac atebodd, "Y . . . y . . . tro cynta' erioed i mi gael y p . . . pleser o'i chyfarfod hi. A'r tro cynta' i mi gyfarfod Mr. Hughes hefyd."

Edrychodd Hywal y Felin ar drwyn ei esgid a gwenu.

* * *

Bu amser swper yn un digon anghysurus i bawb ond
Hywal. Câi'r bychan bleser digymysg o wylio symudiad-
au pobl hŷn na fo a gweld pa ffordd y chwythai'r gwynt.
Ynghanol ei ddigonedd methai Laura Elin â phenderfynu
p'run o'r tri a wnâi'r ymgeledd mwyaf cymwys iddi ac
'roedd y broblem yn dweud braidd ar ei harchwaeth.
Bob hyn a hyn rhyfeddai ar yr ail-gyfarfyddiad annisgwyl,
hapus â Vic Jones—y carmon dyddiau rhyfel. Bychan
oedd archwaeth y ddau glerigwr hefyd—y canon yn methu
â llyncu oherwydd gormes y goler gron, seis a hanner rhy
fach, a'r bregeth y bu'n gwrando arni wedi codi cyfog gwag
ar y person. 'Roedd gan J. R. Jeremeia Hughes archwaeth
cigfran newynog ond gan nad oedd ganddo lygaid i neb,
na dim, ond Laura Elin mynnai roi'r bwyd yn ei glustiau
yn lle yn ei geg.

Bob hyn a hyn câi Laura Elin yr ymdeimlad rhyfedd
ei bod hi'n bot jam, a bod y pedwar arall yn wenyn meirch
asgellog yn hofran o'i gwmpas. Cofiai iddi weld gwenyn
meirch yn boddi mewn pot jam cyn heddiw. Ond o leiaf
byddai'n rhaid iddi hi gadw un ohonynt yn fyw.

Wedi swper aeth y tyndra yn storm. Tri o'r gwenyn
mawr am fynnu mynd i'r pantri i helpu'r pot jam i olchi
llestri a'r tri yn mynnu pigo'i gilydd. J.R. yn dweud mai
ef oedd piau'r hawl i ddewis yn ei dŷ ei hun, wrth ei
fwrdd ei hun gyda'i lestri'i hun; tra taerai'r Parchedig
Edward Molyneux fod gwasanaethu byrddau yn rhan o'i
ddyletswyddau plwyfol ac na ddylid ei rwystro yn ei waith.
Fel yr unig ŵr dieithr yn eu plith, i'r Canon Jones y
rhoddodd Laura Elin y fraint. Wedi cau drws y pantri ni
allai'r ddau arall ond dychmygu pa gyfrinachau pêr a
sibrydid i gyfeiliant, anarferol uchel, y sŵn golchi llestri.
O leiaf 'roedd y ddau yn amau'r gwaethaf. Pan ddaeth y

canon a Laura Elin allan o'r pantri, 'roedd gwrid stêm golchi llestri ar wyneb y naill a grym penderfyniad ar wyneb y llall.

Er gwaethaf cyfrinachau'r pantri 'doedd yr Isgapten ddim wedi llwyr anghofio amcan yr ymweliad, a chyn pen hir a hwyr llwyddodd i fugeilio'r sgwrs i gyfeiriad y darlun. Cafodd Molyneux ac yntau wahoddiad i fynd i'r 'stafell ffrynt i weld y campwaith.

"Wel, Canon, be feddyliwch chi o hwn?" ac eisteddodd J. R. Jeremeia Hughes ar fraich y soffa i dderbyn yr wrogaeth arferol. Ni ddaeth ateb na gwrogaeth. Fel hen law ar brynu a gwerthu gwyddai'r Isgapten Victor Jones ma' dangos diddordeb oedd y pennaf o'r saith pechod marwol. Rhoi ceirch i'r perchennog—dyna'r dacteg arferol. Wedi bod drwyn yn drwyn â'r gath rhoddodd gamau breision yn ôl i gael gweld pws o bell, yna aeth ymlaen at y darlun drachefn.

"Ga' i ych llongyfarch chi, Mr. Jeremeia Hughes, ar ych dewis o ddarlun?"

"Diolch." ('Doedd dim pwynt ychwanegu mai Violet Sandra Pringle oedd wedi cymryd trugaredd ar y gath mewn arwerthiant gwaith.)

"'Does dim dwywaith nad ydy hwn, yn 'i faes ei hun, yn lun o safon."

"Diolch."

"Ma'ch chwaeth chi'n sefyll allan o bell, Mr. Jeremeia Hughes."

"Diolch i chi, Canon Jones."

"'Dydy'r ffaith nag ydy hwn ddim yn *genuine* yn gwneud gwahaniaeth i ddim ond y pris!"

Yn ei syndod llithrodd J.R. dros fraich y soffa a disgyn yn daclus rhwng y clustogau. Aeth y canon ymlaen eto at y darlun, ac aeth ymlaen gyda'i sgwrs.

" Faint wyddoch chi am Deliago Bianco, Mr. Hughes?"

'Doedd J.R. ddim wedi dod i'r parlwr i gynnal seiat holi. Taniodd sigâr fach.

" Steddwch, Mr. Molyneux," meddai, wrth weld hwnnw yn edrych fel cwningen newydd ei hagor ac yn gwneud y lle yn flêr.

" A steddwch chitha', Canon Jones. Faint wn i am Deliago Bianco? Wel, mi wn i ddigon i wybod ma' fo beintiodd y gath 'na â'i law 'i hun a bod y darlun 'ma sy' ar y pared yn werth pum mil ar hugain ar y cynnig cyntaf." Pymtheng mil oedd amcangyfrif ryw arbenigwr yn Lerpwl ond 'roedd yn well iddo ofyn gormod a dod i lawr wedyn. Aeth ias o bryder drwy gorff y ficer wrth glywed y fath bris ond dyrchafodd ysbryd y canon rai modfeddi—byddai pum mil ar hugain am Bianco gwreiddiol yn gadael talar dda o elw. Fodd bynnag, unig ymateb allanol y Canon Victor Jones oedd ysgwyd ei ben yn drist a dweud,

" Os cewch chi chwarter hynny mi fyta i fy nghap yn llawen. Mi glywsoch, wrth gwrs, fod i Bianco ei ddisgyblion?"

" Amryw ohonyn' nhw," meddai Molyneux yn gynorth-wyol.

" Ac mi glywsoch fel y bydda' fo'n gorffen gwaith rhai o'i ddisgyblion ac yna yn torri'i enw 'i hun ar y darluniau er mwyn eu helpu nhw i gael marchnad."

" Mi 'rydw i wedi clywed sôn am yr arfer," atebodd J.R. yn amheus, gan suddo yn is ac yn is i'r clustogau. " Ond sut y gwyddoch chi, Canon, ma' un o'r rheiny ydy hwn?"

" Ia, sut y gwyddoch chi?" holodd Molyneux, wedi llwyr anghofio'i swyddogaeth.

" Wel, edrychwch chi yma," meddai'r arbenigwr yn bwysig, gan godi ar ei draed a phwyntio at y darlun gyda choes ei getyn. " ʃWelwch chi bawen dde y gath 'ma, hon sydd ar ben y bellen ddafedd fan hyn? Wel, y peth anodda o bob peth dan haul ydy tynnu llun pawen anifail, ac yn arbennig un cath, a 'dwn i ddim am neb ond yr hen Fianco fedra wneud y peth i berffeithrwydd . . . y . . . sut fath o bawen ydy hon gyfeillion?"

" Pawen cath," atebodd Molyneux yn ddwl.

" Ia, ia, mi wn i hynny ond sut fath o bawen ydy hi— un dda neu un sâl?"

" Un sâl," meddai Molyneux, i wneud iawn am ei gamgymeriad.

" Un sâl iawn hefyd."

" Dyna'r holl bwynt 'dach chi'n gweld, Mr. Hughes. Tasa Bianco yn 'i glytia fasa fo byth yn gwneud pawen mor sâl â hon. Os y cewch chi bum punt am y llun mewn jymbl sêl 'rydach chi hanner y ffordd i wneud ych ffortiwn."

Gofidiai J. R. Jeremeia Hughes na fyddai wedi darllen rhagor o rifynnau o'r *Art in Society* a chylchgronau tebyg er mwyn iddo allu amddiffyn ei Fianco, ac eto 'doedd ganddo ddim lle i amau didwylledd y canon a fu'n pregethu mor ysgubol.

Wedi i'r canon redeg ei ysglyfaeth fel hyn, i gongl, daeth y Parchedig Molyneux allan i'r lladdfa.

" Maddeuwch i mi am ymyrryd, Mr. Jeremeia Hughes, ond mae'r Canon Jones yma yn hen law ym myd darlunia ac yn siŵr o'i bethau. Ylwch, fel offeiriad y plwy hwn ac un sy'n byw ar drugaredd mi â i ymlaen ar yr ail filltir a chynnig dwbwl 'i werth o i chi. Deg punt! Beth am-dani, Mr. Jeremeia Hughes? Deg punt."

Ac i ddangos ei fwriadau da cododd Molyneux gwr eï gasog a mynd ati i chwilio am ei waled.

" Dyna gynnig a hanner," meddai'r canon, " ac fel cyfaill iddo fo mi wn i fod y Parchedig Molyneux yn ŵr i dalu ar law. Chewch chi ddim llawer o bobol i dalu ar law yn y byd sydd ohoni. Ac wyddoch chi, Mr. Hughes, ma' 'na lawar o bethau y medrwch chi'i gwneud nhw hefo deg punt. Dowch, neidiwch at y cynnig hael."

Ar y funud allai J.R. feddwl am fawr ddim y gellid eï wneud â deg punt ond, ar ei waethaf, 'roedd taerni y ddau ŵr eglwysig a'u natur dda yn cyffwrdd ei galon. Taflodd y stwmp sigâr i'r lle tân ac ymlafniodd i godi ar ei draed er mwyn cael taro'r fargen o'i sefyll, a'r eiliad frau honno lluchiwyd y drws ar agor a daeth pen cringoch Laura Elin o'r Felin i'r golwg.

" Sgiwsiwch chi fi yn rhoi fy mhig i mewn fel hyn. Canon Jones? Mae gynnoch *chi* well llygad na'r ddau arall, ddowch chi trwodd i'r pantri i roi eda yn y nodwydd i mi? Mi ath Hywal adra chwartar awr yn ôl i roi dŵr i'r clomennod. . . ."

Pam y daeth Laura Elin rhwng y perchennog a'i gwsmer ar funudau mor dyngedfennol—hi ei hun a ŵyr. Trist yw cofnodi, ond pan ddaeth y canon yn ôl o'r pantri, 'roedd perchennog y Bianco wedi hen oeri a'r Parchedig Molyneux ar fin cychwyn.

　　　　*　　　*　　　*

Wedi dringo i'r daflod, fel gŵr y Lasynys gynt cydiodd Elis Robaitsh, Tŷ Cam, yn ei sbienddrych iddo gael gweld yr agos ymhell a'r pell yn agos. Dyma'r anrheg a gafodd gan ei gyd-swyddogion ar ddathlu ohono ddeugain mlyn-edd fel diacon, a 'doedd dim dwywaith nad oedd yr anrheg wedi bod o help mawr iddo i weld rhai o fân bechodau yr ardal yn gliriach na neb o'i gymdogion, yn enwedig ar noson olau leuad fel hon. Yn naturiol, ni bu'n fyr o alw sylw swyddogaeth ei eglwys at y brychau yn y gymdeithas.

" Am law ma' hi fory eto, Begw."

" Felly wir."

" Ma' . . . ma' defaid Foel Griafolen wedi'u cneifio 'nôl pob golwg. Ma' nhw'n swatio wrth wal y mynydd â'u penola i'r gwynt."

" Felly." Wedi tynnu amdani 'roedd yn well gan Begw Robaitsh swatio dan y blanced na gwrando ar ddisgrifiadau hwyrnosol manwl o ddigwyddiadau'r fro.

" Begw, Begw," gwichiodd Elis yn wyllt. " Tyd yma. Tyd yma. Yli di be wela i?"

Neidiodd ei wraig o'r gwely ac o dipyn i beth llwyddodd i dynnu'r sbienddrych o ddwylo'i gŵr.

" Brenin y bratia—y person . . . a'r dyn ar wasgar 'na . . . yn mynd adra o'r Nefoedd wedi swper. Ydyn nhw wedi meddwi, Elis?"

" Ydyn," meddai Elis heb wneud unrhyw ymdrech i gael ail edrychiad a gwneud yn siŵr.

Ond 'doedd y Parchedig Edward Molyneux a'r Isgapten Victor Jones ddim wedi meddwi—ddim wedi meddwi yn ystyr gyffredin y gair beth bynnag.

Chwedl y bardd, " Blin fu y daith a hir " o Nefoedd y Niwl i'r ficerdy a chymerodd y ddau glerigwr amser hir i'w cherdded. Bob hyn a hyn gwthiai'r person ei fys rhwng coler gron y canon a'i bibell wynt gan fygwth ei dagu a bob hyn a hyn cydiai'r Isgapten Jones ym mhen ôl trowsus y person a bygwth ei daflu i'r ffos. Fodd bynnag daeth pethau'n well, wedi i sgweiar Little-Mallet-cum-Picton fynd ar ei lw wir-yr-yr nad oedd dim drwg yn

y caws rhwng Laura Elin ac yntau. Rhoddodd boer ar ei
dalcen i gadarnhau hynny.

Cyn cyrraedd giat y ficerdy addawodd Edward
Molyneux y byddai cath Deliago Bianco yn nwylo arben-
igwr yn Llundain cyn y Sadwrn ola' o'r mis, a bu ysgwyd
llaw brwd i glensio'r addewid. Wedi dod i'r cytundeb
hwn cerddodd y ddau glerigwr weddill y siwrnai, o giat
y ficerdy i'r drws cefn, fraich ym mraich.

Nid cyn i Dafydd a Jonathan ddiflannu trwy ddrws
cefn y Ficerdy y rhoddodd Elis Robaitsh ei sbienddrych
yn ôl yn ofalus ar bost y gwely, a throi am ei wâl. Er
bod Begw eisoes wedi dweud ei phader unwaith, pen-
liniodd drachefn wrth erchwyn y gwely, a diolchodd o
waelod calon am iddi hithau, fel ei gŵr, gael ei geni yn
Annibynwraig. Diolchodd hefyd am ambell noson leuad
fel hon.

9

DRWY gydol ei dymor maith gyda'r J. R. Pen Co. Inc. bu
J. R. Jeremeia Hughes yn cymell ei gyd-ddynion ym mhob
rhan o'r byd i ysgrifennu llythyrau, ac ymhell cyn i'r Post
Brenhinol fabwysiadu ei slogan boblogaidd 'roedd J.R. yn
argyhoeddedig fod 'na rywun yn rhywle yn disgwyl gair
oddi wrthych *chi*. Sgriblodd rai cannoedd o lythyrau ei
hunan bach ond ei genhadaeth fawr mewn bywyd oedd
cael eraill i ysgrifennu. Cofier, nid parhad y grefft o
lythyru a apeliai at Jeremeia Hughes ond awydd cryf i
weld mwy a mwy o'r boblogaeth yn ymhyfrydu yng
ngogoniannau'r beiro swllt. Fel hyn yr hysbysodd un-
waith: "I ysgrifennu rhaid cael cyfrwng—a'r cyfrwng
hwylusaf, hyfrytaf a rhataf o ddigon yw beiro swllt y
J.R." Twyllwyd trwch y boblogaeth.

Ond un o gas-bethau J. R. Jeremeia Hughes oedd
derbyn llythyrau, yn arbennig rhai wedi eu teipio neu eu
dyblygu. Deuai blas drwg i'w geg, fel petai o newydd
gnoi hen wadn esgid wrth gofio rhai epistolau o'r fath.
Llythyr teipiedig oedd hwn a ddaeth iddo 'slawer dydd
oddi wrth Reolwr Gyfarwyddwr ffyrm crysau isa' yn
Stocktoon-on-Tees yn hysbysu eu bod yn dal i ddisgwyl y
saith taliad wythnosol am yr anrheg Nadolig, ac un teip-
iedig a anfonodd ei hen weinidog ato ar derfyn y Rhyfel
Byd Cyntaf yn ei gymell i newid ei ffyrdd; ond llythyr
wedi'i ddyblygu a ddaeth iddo oddi wrth dad Maureen
Black—y dyn glo o Birkenhead. Bu J.R. yn hir cyn gweld
synnwyr dyblygu llythyr rhybuddiol o'r fath ond pan
eglurwyd iddo fel 'roedd yr hen ŵr wedi dechrau cyfan-
soddi mewn inc, ac wedi troi at beiriant pan aeth y gwaith

c

yn drech nag ef, penderfynodd yn y fan a'r lle ganu yn iach i Maureen Black.

Wedi deufis i ymgartrefu teimlai J.R. mai un o ychydig rinweddau lle fel Nefoedd y Niwl oedd absenoldeb postman. O'r noson fythgofiadwy, gyntaf, pan gafodd ei gludo dros y trothwy ym mreichiau cyhyrog gwraig y Felin, ni ddaeth na llythyr, na pharsel, na theligram ar ei gyfyl— tan y bore Gwener ola' ym mis Gorffennaf. Y bore hwnnw, wrth edrych allan ar y glaw mân a orchuddiai bawb a phopeth, cafodd gip ar y postman lleol yn parcio'i feic wrth y llidiart ac yna yn neidio o garreg i garreg fel sigl- di-gwt wrth geisio osgoi y baw a'r llaca. 'Roedd John Ŵan y Car Post yn gludwr newyddion ar dafod yn ogystal ag ar bapur.

" John Ŵan newch chi ddeud wrth Lisi Jên yr Hendra bod 'ma iâr yn gori a bod croeso iddi arni os ydy'n dal i chwilio am un?"

" John Ŵan deudwch yn y Bryn ac yn y Foel Griafolan y byddwn ni'n hel y defaid i gneifio bore Difia, os bydd hi'n ffit o dywydd, a gofynnwch ddon nhw draw i roi help llaw os na byddan nhw'n cneifio'u hunan."

" Car Post deud wrth Lei Tŷ Cam nag ydy 'gethwr y Sul ddim yn dwad a'i fod o wedi cal ryw hen lechedan ne rwbath. A deud mod i'n gofyn neith o ddechra'r odfa am y tro?"

Gwyddai John Ŵan yn well na gŵr y frenhines a'i cyflogai pa nodyn i'w daro ymhob cymdeithas. Sôn am brisiau lloi bach yn y Bryn, sôn am y pŵls hefo Ned Foel Griafolen, sôn am bregeth a phregethwyr yn Tŷ Cam, a deud pwy fydda'n disgwyl babi wrth hen wraig Bryn Gofidiau. 'Roedd gŵr Nefoedd y Niwl yn gwsmer newydd.

" Dau lythyr, Mr. Hughes. Sut ydach chi?"

" Diolch i chi—er na fu 'rioed yn dda gen i gael llythyr chwaith."

" O Bootle ma'r cynta o'r ddau, Mr. Hughes, ac ma' enw'r ffyrm anfonodd y llall ar yr enfilop. Bethnal Green, os ydw i'n cofio yn iawn, dyna'r marc post."

" O," meddai J.R. yn syn a throi'r amlen drosodd i gael gweld y cyfeiriad drosto'i hun. Dratio dyn neis y *Credit Security Ltd.* yn mynnu rhoi ei enw a'i gyfeiriad ar gefn yr amlen, yn hytrach nag ar ben y llythyr fel pawb arall.

" Welwch chi neb o'r Felin heno 'ma?" holodd y post-man yn gyfrwys.

" Na," meddai J.R. yn ddiniwed, " go brin. Fuo Miss Williams na Hywal ddim heibio ers tro."

" O, mi wela i. Ryw gatlog ffrogia ha' sgin i i fynd yno a meddwl y baswn i'n sbario ychydig ar deiars y beic. *Government Property* ydy'r beic, Mr. Hughes, a rhaid bod yn ofalus hefo'r *wear and tear.* Ond dyna fo, mi wnaiff fory'r tro yn iawn."

" 'Dach chi ddim i fod i rannu'r llythyrau bob dydd? Dyna fydda'r drefn yn Lerpwl·beth bynnag."

" Nid Nerpwl 'di fa'ma," meddai'r postman ac yn para-toi i gychwyn. " Diolch am hynny. O wel, gobeithio byddwch chi'n magu mwsog 'ma Mistar, Hughes. . . ."

" Mwsog?" holodd J.R. yn ddryslyd. " Ydy hi'n talu i fagu mwsog?"

" Na, na, ffordd o ddeud petha ydy hwnna. Deud o'n i, mod i'n gobeithio y byddwch chi'n hapus ac yn setlo 'ma."

" O. Diolch i chi."

" Mi fydda fa'ma'n stesion de dda i mi stalwm, yn amsar yr hen bobol felly. . . ."

" Mi fedra i neud cwpaned os y. . . . "

" Na diolch i chi am gynnig. 'Dach chi'n wahanol iawn i'r rhelyw o bobol y trefydd mawr 'ma. Fydd y rheiny fel rheol ddim yn holi os gin rywun geg. O wel, mi gadawa i chi 'rŵan er mwyn i chi gal hamddan hefo'ch corispondans, ac mi alwa i eto pan fydd gin i rwbath yn y bag i chi."

A throdd y postman ar ei sawdl a chychwyn hopian fel sigl-di-gwt o garreg i garreg yn ôl i gyfeiriad y beic. Tua hanner y ffordd ar draws y buarth llithrodd ei droed dde oddi ar garreg a suddodd yntau at ei ffêr i'r llwtra. Gwaeddodd wysg i gefn. " Mi fydd raid i chi riglo'r buarth 'ma, Hughes, unwaith bydd y glaw 'ma wedi pasio." Cyn pen ychydig eiliadau 'roedd beic y llyw- odraeth yn ymddolennu fel rhaff nionod rhwng pyllau'r ffordd a John Ŵan yn pedlo ei orau glas. Byddai'r cym- dogion, bellach, yn hen ddisgwyl am ddisgrifiad y postman o berchennog newydd Nefoedd y Niwl.

Dychwelodd J. R. Jeremeia Hughes at dân y gegin gan ddyfalu beth oedd ystyr y gair ' rhiglo.' Wedi tanio sigâr fach, un o'r rhai ola' o'r stoc, a chael gafael yn 'i sbectol, ac eistedd, agorodd lythyr y *Credit Security Ltd.* Na, 'doedd y dyn neis yn holi dim am ei iechyd nac yn amgau cofion, dim ond holi yn bryderus am y taliadau cyntaf o'r hen ddyledion. Yn wir, yn ei ôl-nodiad awgrymai fod 'na ffyrdd cyfreithiol eraill ar gael i hawlio eiddo ond gwyddai i sicrwydd na fyddai yn rhaid iddo ddefnyddio'r ffyrdd hynny gyda chwsmer mor anrhydeddus. Plygodd J.R. y llythyr yn bryderus ofalus a'i wthio i ddiogelwch ei waled. Biti hefyd fod y dyn neis yn mynnu plastro'i enw hyd gefnau amlenni.

Hyfrydwch pur iddo oedd cael rhwygo amlen binc yr ail lythyr. Adnabu'r llythrennu brau o bell a llamodd ei galon ryw ychydig wrth weld un arall o gampweithiau'r beiro swllt.

"My dear old Employer," oedd cyfarchiad Violet ond dyna fo fuo hi erioed yn un i roi gwaed yn yr inc. Bernard, mab ieuenga yn Bootle, wedi cael brech yr ieir. Wel, wel! Ei dad William Pringle, yn methu'n lân a gwybod lle cafodd afael ar gywion ieir. Yn union fel Bill Pringle! Manion oedd yn y paragraffau cyntaf i gyd—Pringle yn cwyno ar ei gyflog, Esther yn dal i besychu, Scoobie Doo y spaniel wedi rhwymo—a chamodd J.R. dros y newyddion lleol i weld oedd 'na fwy o gig yn y paragraffau olaf. 'Roedd hi'n holi am Bianco. Chwarae teg iddi. Yna, heb yn wybod bron, cerddodd J.R. i ganol stori'r perlewyg. Newidiodd ei wedd, daeth deigryn ysgafn i gil ei lygaid, a theimlodd i'r byw wrth ddarllen am ei hen forwyn ffyddlon yn disgyn fel sach tatw o flaen y tân nwy yn Bootle. Petai o wedi prynu byngalo yn y Wirral a phriodi fel y dylai, hwyrach y byddai Violet yn dal yn ei llawn iechyd— ond 'roedd hi'n rhy hwyr i hel meddyliau felly. Aeth ymlaen i ddarllen y dystiolaeth oreurog i ragoriaethau'r Doctor Abdul Mugtash a'i dabledi gwerthfawr, ac yna daeth at y cofion. Clod i Fiolet am roi un groes o dan ei henw yn hytrach nag amryw, 'roedd arbenigrwydd mewn peth felly. Derbyniodd rai cannoedd o lythyrau serch yn ei ddydd ond fu ganddo 'rioed ffydd mewn awduron a fynnai lenwi gweddill y dudalen â thraed brain.

Aeth J. R. Jeremeia Hughes ati i blygu'r ddogfen fel y gallai hi fynd i'r waled at ei phartner ond wrth wneud hynny sylwodd ar y P.S.—"*I asume* (un s) *that we can park family caravan at Nool.* V."

Hywal y Felin a gafodd hyd i J. R. Jeremeia Hughes yn hwyr yr un dydd, yn cerdded nôl a blaen hyd lawr y gegin ffarm fel petai o'n deigar mewn tanc. Syllai ar ryw orwel pell a dywedai drosodd a throsodd—" family caravan at Nool, family caravan at Nool." ('Roedd Hywal wedi ei anfon i Nefoedd y Niwl gyda nodyn oddi wrth 'i fam, yn gwâdd Yncl Hughes i'r Felin am damaid o swper y nos Wener ganlynol.) Ar yr olwg gyntaf edrychai gŵr Nefoedd y Niwl, yn ôl disgrifiad Hywal, yn debycach i Joseff yn breuddwydio am sêr na dim arall, ond wedi iddo gael cegiad neu ddau o ddŵr poeth daeth ato'i hun. Fe'i rhoed i eistedd yn y gadair freichiau. Pan ddywedodd Hywal fod ganddo lythyr arall iddo dechreuodd drafaelio drachefn, ond wedi iddo glywed ei gynnwys caredig daeth i deimlo'n llawer gwell.

Ni lwyddodd Hywal y Felin i adnabod afiechyd ei Yncl Hughes, ond deallodd y byddai bywyd ei ewythr newydd ar ben os deuai ryw Pringle a'i garafan i Nefoedd y Niwl. Wrth gwrs, wyddai'r bychan ddim mai cas-beth J. R. Jeremeia Hughes oedd derbyn llythyrau.

10

"HYWAL ngwas i. Os y byddwch chi mor garedig â gwagio'r dŵr o'r llestr blodau a'i lanw â dŵr glân o'r ffynnon."

'Reit o *chief*," a cherddodd Hywal y Felin yn dalog i fyny ale'r eglwys i gyfeiriad y festri.

"A Hywal?"

"Ia," heb aros i wrando.

"Os y byddwch chi mor garedig â fy ngalw i wrth fy enw priod tra byddwn ni yn yr eglwys fel hyn. Dda gen i mo cael fy ngalw yn '*chief*'—fel pe tawn i yn bennaeth ar lwyth o Indiaid Cochion." Cyn ei fod wedi gorffen ei ail frawddeg sylweddolodd y Parchedig Edward Molyneux ei fod yn siarad ag ef ei hun yn fwy nag â neb arall, a bod Hywal, bellach, hanner y ffordd i'r ffynnon.

Aeth ymlaen i baratoi'r bara. Fel pob eglwyswraig dda credai'r hen Mrs. Molyneux y dylai offeiriad baratoi y cymun ar nos Sadwrn a chredai hefyd y dylai gael gwasanaethwr ifanc i'w gynorthwyo yn y gwaith os oedd hynny'n bosibl. Gwyddai mai trwy gyflawni swyddi gwasaidd o'r fath y cychwynnodd aml i un ar ei daith hirfaith i fod yn offeiriad. Yn fuan wedi gadael ei glytiau bu'n rhaid i Ted, fel y galwai hi ef ambell dro, dreulio pob nos Sadwrn yn nhrymder yr eglwys fechan honno yn Nyffryn Clwyd yn cynorthwyo ei dad ysbrydol i baratoi'r sagrafen at y Sul. Bellach, dyma yntau yn offeiriad ei hunan ac un bychan arall yn ei gynorthwyo ef yn yr un gorchwyl.

"Fedrwch chi nofio, Mistar Molyneux?" Dychwelodd Hywal o'r diwedd ac yn wlyb fel dyfrgi.

"Nofio? Na fedra i. Be sy' wedi digwydd? Lle ma'r llestr blodau, Hywal?"

Bygythiodd Hywal eistedd, yn sedd glustogaidd y Plas
fel 'roedd hi'n digwydd, i ateb cwestiynau'r person.

"Dim yn fan'na, y cena b. . .. Dim yn fan'na, Hywal
fy machgen i. Sêt y Plas ydy honna, a thala hi ddim i
Mrs. Wynne-Stanley eistedd mewn sgert wleb bore fory.
Steddwch yn hon Hywal," gan bwyntio at sedd Edward
Lloyd, Foel Griafolen. "Go brin y daw neb i eistedd yn
hon cyn yr Ŵyl Ddiolchgarwch am y cynhaeaf."

Wedi cael eistedd 'roedd Hywal y Felin yn barod i
adrodd 'i stori. "Syrthio nes i . . . i'r b . . . ffynnon ac
ma'r peth dal bloda'n dal yno . . . yn . . . shitrws mân."

"Y nefoedd a'i chymylau," meddai Molyneux gan godi
'i ddwylo meinion at i ben. "Y llestr blodau lystr? Rhodd
Ddiolchgarwch Mrs. Wynne-Stanley . . . er cof am ei thaid
y Comodôr J. F. J. White-Wynne . . . yn deilchion?"

Gwasgodd ei ben rhwng ei ddwylo fel petai'r meigrin
wedi ei ddallu.

"Wel dyna bumpunt yn llai yn offrwm y Pasg yn siŵr.
Mi fyddai'n llawer gwell i bawb tae. . . ." Llyncodd y
frawddeg ar ei hanner. 'Roedd o am gael ffafr gan Hywal
yn nes ymlaen, ac felly gwell peidio â rhoi geiriau i bopeth
oedd ar ei feddwl. (Yr hyn oedd o awydd ddweud oedd
y byddai hi'n llawer gwell i bawb a phopeth petai'r gwalch
bach, cringoch wedi mynd i waelod y ffynnon a'r llestr
blodau lystr wedi dod yn ôl i'r eglwys yn gyfan.)

"O wel, mi fydd ych mam beth bynnag yn falch o
weld ych bod chi heb foddi. Ewch trwodd i'r festri
Hywal i chwilio am y botel win." Ond o gofio am drychin-
ebau'r gorffennol newidiodd Molyneux y gorchymyn.
"Ylwch, wrth ych bod chi wedi gwlychu mi a' i i nôl y
gwin ac mi gewch chitha . . . mi gewch chitha olau'r can-
hwyllau tra bydda' i."

Fel pob eglwys wladol arall 'roedd Sant Dyfrig wedi ei hyswirio rhag tân. Cerddodd y person yn fân ac yn fuan i fyny'r ale a throi ar y dde i gyfeiriad y festri. Tybiodd ei fod yn gwyntio aroglau deifio a throes 'i ben i gyfeiriad yr allor, ond 'roedd y llyn dŵr yn dal yn sedd Foel Griafolen.

"Hywal, ngwas i? Wrth olau'r canhwyllau peidiwch â rhoi'r eglwys ar dân, os y medrwch chi beidio—mae hi'n hen ac yn werthfawr." Cerddodd i'r festri.

'Doedd cael help llaw gan Hywal y Felin ar nos Sadwrn ddim yn fêl i gyd, o bell ffordd, ond o leiaf dyma un dull o anfon llythyrau caru i'r Felin heb i John Wan y Car Post ddod i wybod am eu cynnwys.

Druan o'r hen wraig ei fam, yn ei hanwybodaeth, yn tybio fod y cringoch yn egin person. Gobeithio'r nefoedd nad oedd hi ddim yn broffwyd hefyd, neu druan o esgobion y dyfodol.

Estynnodd y botel win a'r jwg o'r cwpwrdd a'u gosod ar y bwrdd, ac yna aeth ati i dynnu'r corcyn. Oni bai ei fod am gadw ei enw ar lyfrau'r Felin byddai wedi rhoi cic ym mhen ôl y gwasanaethwr ers wythnosau lawer a'i droi allan o'r eglwys.

Neidiodd y corcyn o wddf y botel fel ergyd o wn a dyrchafodd cymylau o nwy meddwol i ffroenau'r person. Sawl gwaith y cerddodd i far y "Goose and Gander" i apelio at Higginsbottom y tafarnwr i anfon cordial ysgafnach ar gyfer y Cymun, ond dyma botelaid eto o'r un cryfder yn union. Dechreuodd dywallt i'r jwg a chrwydrodd ei feddyliau yn ôl at Hywal.

Na, 'doedd y trefniant ddim yn un delfrydol o bell ffordd. Pe gwyddai'r esgob ei fod yn talu deugain ceiniog yr wythnos am gymwynas, a phe gwelai'r saint y fath olwg oedd ar ddwylo'r Felin ambell nos Sadwrn byddai'n rhaid ei ddiswyddo yn siŵr, ond 'roedd Hywal yn gyfrwng hwylus i gael gwybod cyfrinachau'r fro. A'r cyfan er mwyn Laura Elin ei fam. Oedd hi'n werth dioddef holl orthrymderau'r daith i sicrhau llaw yr un a garai? Pe byddai'n siŵr nad oedd dim cyfrinachau pêr rhwng Laura Elin a Vic Jones, a phe llwyddai i ladd awydd yr Yncl Hughes 'ma o Nefoedd y Niwl, a phe bai'n bosib' iddo godi Bianco oddi ar ei hoelen a'i ddwyn at yr arbenigwr, yna byddai'r maglau oll wedi eu torri a'i draed yn gwbl rydd. Hywal y Felin oedd y gŵr a allai balmantu'r ffordd iddo, ond y drwg oedd fod gan y gwalch bach ei bris. Oedd, 'roedd Laura Elin y Felin yn werth deugain ceiniog yr wythnos a mwy. Sut yr oedd Caniad Solomon wedi gosod y peth hefyd?

" 'Dwy wedi gola'r c'nwyllau i gyd ac wedi deud fy mhadar ddwywaith."

Sylweddolodd Molyneux fod y jwg gwin yn fwy na llawn, yn wir yn llifo trosodd.

" Y. . . . Da iawn, Hywal. Darllenwch y Llyfr Gweddi tra bydda i'n rhoi'r botal 'ma ar ei silff. Fydda i ddim dau eiliad eto."

Daeth Molyneux yn ôl i'r eglwys yn cario'r gwin.

" Ma'r canhwyllau yn golau'n hyfryd, Hywal."

Wedi gosod y gwin a'r bara ar yr allor penliniodd y person a gwnaeth Hywal yr un fath.

" Symudwch ryw fodfedd neu ddwy i'r dde," meddai'r person yn biwus. " Mae 'na ogla garlic neu rywbeth tebyg ar ych gwynt chi."

Wedi'r defosiwn byr cydiodd Hywal yn 'i falaclafa a pharatoi i gychwyn.

" 'Rydw i am 'i throi hi 'rŵan, Mr. Molyneux. Hwyrach y liciwch chi dalu i mi cyn i mi fynd."

" Beth ydy'r brys Hywal? Eisteddwch yn hedd yr hen eglwys i ni gael sgwrs."

" 'R . . . 'Rydw i ishio galw yn y Nefoedd eto heno, a 'dwy ishio bwydo'r clomennod cyn iddi d'wllu, a ma' mam ishio imi beidio bod yn hir." Safodd gydag un esgid ar ben y llall yn pigo'i drwyn.

" Ac mi 'rydach chi am alw yn Nefoedd y Niwl heno? Chawrae teg i chi. A sut mae Mr. Hughes erbyn hyn?"

" Iawn."

" Fydd ych mam a chitha'n galw yno yn aml, Hywal?"

" Weithia te."

" Pryd y bydd Mr. Jeremeia Hughes yn galw heibio'r Felin i . . . i nôl llefrith?" (Chwyrnodd Molyneux lawer pan ddeallodd am y trefniant i J.R. alw yn y Felin am ei lefrith. Fe ddylai Lloyd y Bryn fod yn gwybod yn well na hynny—ond dyna fo, 'doedd wiw edliw hynny i Hywal.)

" Sdim dal. Ond ma' Yncl Huws yn dwad acw i gal swpar sbesial cyn bo hir."

" O! Y . . . p . . . pryd ma' hynny, ngwas i."

" 'Dwy ddim yn cofio'n iawn."

Sylweddolodd Molyneux y byddai'n rhaid iddo, yn hwyr neu'n hwyrach, dalu am wybodaeth gyfrin o'r fath a chododd ei gasog yn anfoddog.

" Reit Hywal, be ydy'r pris y tro hwn?"

" Pishyn pum deg."

" Pishyn pum deg a wyth swllt o gyflog . . . d . . . dyna bunt, bron. Na, thala i ddim pum deg," meddai'r person yn sorllyd.

" Mi allwn i wrthod deud pryd ma' Yncl Hughes fi yn dwad acw i swpar a mi . . . mi allwn ddeud wrth ddynas y Plas am y peth dal bloda a deud wrth mam am y. . . ."

Gosododd y Parchedig Molyneux saith deg o geiniogau ar law felyn Hywal y Felin a dweud,

"Dyma'r tro ola' i mi gael fy mhluo fel hyn."

"A dau ddeg arall, os gwelwch chi'n dda," meddai'r bychan yn gryf. "Ma'r sym i gyd yn dwad yn naw deg o geiniogau."

Sylweddolodd y person y byddai'n rhaid iddo dalu yn llawn fel arfer. O leiaf 'roedd mab y Felin wedi dysgu cyfrif ceiniogau.

"A 'rŵan, pryd ma'r dyn Hughes 'ma yn dwad i'r Felin i swper?"

"Nos Wenar."

"Nos Wener nesaf?"

"Nos Wenar nesa un."

"A faint o'r gloch mae o i gyrraedd?"

"O'dd Mam yn deud yn 'i llythyr i Yncl Hughes fi y byddai'r cyw iâr ar y bwrdd am saith union."

"Be, ydy cywion ieir yn tyfu ar goed cwsberis tua'r Felin acw? 'Roedd sardins yn ddigon da i mi y tro diwethaf y gelwais i heibio. Pam gynllwyn mae rhaid cael cyw iâr i ŵr Nefoedd y Niwl.

"'Dwy i ddim yn gwybod," atebodd Hywal yn gall. "Ond mi glywis i mam yn deud bod Yncl Hughes fi yn rhywun sbesial."

Yn fewnol teimlai'r Parchedig Molyneux fel pe bai newydd lyncu pincas yn llawn o binnau ond yn allanol edrychai'n ddidaro.

"Mae'n ddiau bod Mr. J. R. Jeremeia Hughes yn ŵr arbennig ar lawer ystyr, ac yn y pendraw mater i'ch mam ydy beth mae o yn 'i gael i fwyta. Ac mi 'rydech chi'n hollol siŵr ma' nos Wener nesa y bydd Mr. Hughes yn dod acw i swper, ac am saith."

Poerodd Hywal ar flaen 'i fys ac ymgroesi ar ei dalcen.

" Wir yr, yr C. . . ."

" Dyna ddigon, Hywal. Tydw i ddim am wrando rhagor ar lwon y tu mewn i furiau Sant Dyfrig . . . ar nos Sadwrn. Mi gewch chi fynd 'rŵan."

" Hwyl i chi," meddai'r bychan yn hen ffasiwn a dechrau prancio i fyny'r ale fel cangarŵ â'i gynffon o ar dân.

" Hywal, ngwas i, fe gofiwch fel y dywed y Sallwyr am i ni barchu'r Tŷ a gofalu. . . ."

Sylweddolodd mai ofer oedd dyfynnu adnodau a'r plentyn yn absennol. Yn y pellter clywai sŵn tun yn cael ei gicio i lawr llwybr y fynwent a rhwng y cerrig beddau. Ochneidiodd. Ochneidiodd drachefn, ac yna, ymbaratodd i gychwyn.

Wrth gerdded y daith dawchlyd yn ôl i'r Ficerdy 'roedd meddyliau'r Parchedig Edward G. Molyneux yn fwy ar sut i ladrata Deliago Bianco na chyda'r gorchwyl cysegredig a'i wynebai yn yr eglwys fore drannoeth.

11

GAN ei bod hi'n fore Sul braf gorweddai J. R. Jeremeia
Hughes ar ei gefn yn ei wely yn brigbori hen ôl rifynnau
o'r *Haul* a'r *Gangell* bob yn ail â chyfri'r gwybed a gerddai
â'u pennau i lawr ar nenfwd yr ystafell wely. Un o'r
amrywiol anrhegion a ddaeth iddo drwy law gwraig y
Felin oedd y baich cylchgronau, ac wrth droi'r tudalennau
rhyfeddai J.R. yn fwyfwy at ddawn Laura Elin i sugno
maeth o'r fath ffynhonnell. Y cartwnau yn unig a apeliai
ato, ond 'roedd o wedi gweld rhai gwell na rheiny lawer
tro yn y *Giggle Gazette*. 'Roedd o ar fin plymio i ysgrif
hirfaith yn dwyn y teitl "Syniadau Diwinyddol Diweddar
am Burdan a Thawelwch Enaid" pan glywodd glec a'i
cododd ar ei eistedd. Wrth edrych allan drwy ffenestr
gyfyng yr hen dŷ ffarm gwelodd yr hyn y bu'n ei ofni ers
tri diwrnod ar ddeg—honglad o garafan lliw melyn ŵy ar
ei hydtraws yn adwy Nefoedd y Niwl. Gwyddai J.R. nad
oedd Bill Pringle a'i wraig Esther erioed, cyn hyn, wedi
gwneud marc mewn bywyd ond 'roedd hi'n amlwg eu bod
hwy'r bore hwn wedi gwneud clamp o farc cofiadwy ar
dalcen y garafan ac un arall ar gilbost y llidiart.

Neidiodd J. R. Jeremeia Hughes drwy'i grys, ac i'w
drowsus. O leiaf 'roedd o am fod ar drothwy'r drws i'w
cyfarfod, os nad i'w croesawu.

Pringle 'i hun oedd y cyntaf i lefaru.

"*A hell of a quaint place you've got 'ere, Hughes
Seems we're miles from the nearest pub. M . . . sorry
about the old gate up there. It's much too narrow for
today's transport.*"

Nodiodd J.R. ac aeth ati i ysgwyd llaw hefo'r ymwel-
wyr fesul un ac un yn union fel petai hi'n fore Cyfarfod

Misol. Wrth weld beth oedd yn digwydd daeth y ci bach i ganol y cylch a gwneud ymdrech lew i godi'i bawen chwith.

"*See how Scoobie wants to shake hands with Uncle Jerry,*" meddai Esther, "*and he's been ever so sick in the car on the way down. You're mummy's little darling aren't you?*" wrth y spaniel. Ond daeth pwl arall o besychu heibio a bu'n rhaid iddi blymio i'w bag ysgwydd a chwilio am sigaret.

Teimlai J.R. fel sgwarnog fyw yn cael ei thynnu rhwng dau filgi. Ar un llaw 'roedd o'n awyddus i gydnabod croeso ei gymdogion newydd ym Mol y Mynydd a'u safonau hen ffasiwn ac ar y llaw arall 'doedd o ddim am fod yn gwbl ddi-groeso tuag at ei hen gyfeillion o Cement Park.

"*You must make yourselves at home,*" meddai'n wantan.

Ni fyddai'n rhaid iddo bryderu am hynny o gwbl oherwydd 'roedd teulu'r Pringle eisoes yn berffaith gartrefol a phob un o'r pum plentyn ond un yn dawnsio'r tango ar ben y cwt glo.

"*Ju know, Uncle Jerry?*" meddai Bernard, yr ieuenga' a'r unig un oedd â'i droed ar lawr. "*Aunt Vi has been sick too—just like Scoobie Doo was sick in the car.*" Chwarddodd y gynulleidfa ac aeth dawnswyr y cwt glo i guro'u traed yn ffyrnicach.

Tra bu Bill ac Esther Pringle yn tywysu'r garafan i'r ardd cafodd Violet Sandra a J.R. ychydig eiliadau i fwrw'u swildod. (Rhyfedd fel y mae ychydig wythnosau o arwahanrwydd yn pylu deugain mlynedd namyn un o gydfyw, ac yn peri dieithrwch.) Fodd bynnag wedi torri'r garw cafodd J.R. wybodaeth bellach am afiechyd Violet, ei natur a'i faint.

"*And I was ever so sick, Mr. 'Ughes, and mumlin sumthin about Nool.*"

"*Nool?*" holodd J.R. yn ddryslyd.

"*Nool is supposed to be the name of your farm 'ere. And I'm afraid that all those naughty words you used to teach me at Christmas . . . they all came out—even sooch glake.*"

A dyma Violet Pringle yn piffian chwerthin fel petai hi unwaith eto yn eneth ysgol. Cododd J.R. ei lygaid oddi ar ei slipars, a hynny'n ddigon buan i weld Baldwin, yr ieuenga ond un, yn cyrraedd pen-llanw ei ddawns, yn rhoi un naid orfoleddus, ac yna yn diflannu drwy do y cwt glo.

12

Yn ystod ei ddyddiau ar y ddaear 'roedd y Parchedig Edward Molyneux o dro i dro wedi torri'r rhan fwyaf o'r Deg Gorchymyn ac eithrio'r wythfed. Er iddo grafu ei feddwl, a chrafu ei ben, ni chofiai iddo erioed yn ei fywyd anwybyddu'r wythfed gorchymyn. Torrodd yr ail orchymyn ugeiniau o weithiau pan oedd o yn giwrat ifanc ym Morgannwg. 'Roedd yr eglwys yn y fan honno'n bochio allan gan ddelwau cerfiedig a'r person yn mynnu fod y ciwrat a phawb arall yn ymgrymu yn barhaus. Ac am y degfed gorchymyn câi drafferth di-ben-draw i gadw hwnnw hefyd. Temtasiwn barod i bob person unig a drig mewn ficerdy laith yw chwennych tŷ ei gymydog, a gwraig ei gymydog, a phopeth arall a berthyn i'w gymydog—ac eithrio ei asyn hwyrach. Ond heno, cyn pen dwy awr neu dair, byddai am y tro cyntaf yn ei hanes yn torri'r wythfed o'r deg **gorchymyn.**

Aeth trwodd o'r gegin i'r stydi gan feddwl am y ffordd orau a'r ffordd fwyaf celfydd o bechu. Bu'r Parchedig Molyneux erioed yn gredwr cryf iawn mewn paratoi'n drylwyr at bob achlysur, boed hi'n addoliad cyhoeddus, Ysgol Sul neu Undeb y Mamau, a chyda'r un cywirdeb y trodd at y gwaith anhyfryd a'i wynebai. Gosododd yr arfau pechu yn un rhes herfeiddiol ar gongl y bwrdd ysgrifennu. Cyllell finiog, pâr o fenyg ystwyth, spectol haul drymllyd yr olwg, myfflar du, dwy hosan neilon— sanau Ymweliad Esgobol ei fam—a bocs o bupur, rhag ofn. 'Roedd y cwbl o'r arfau yn lân a pharod i waith. Ond os oedd yr arfau yn lân a pharod, teimlai Molyneux ei hun yn amharod iawn i'r gorchwyl ac mor nerfus â chywen ifanc ar fin dodwy ei ŵy cyntaf.

"Edward, machgen i, ydach chi'n siŵr ych bod chi wedi darfod paratoi at y Sul? Mae hi'n nos Wener heno cofiwch."

Neidiodd y Parch. Edward Molyneux fel petai hi'n gystadleuaeth y naid hir a sefyll rhwng hen wraig ei fam a'r rhes arfau. Dratio unwaith na fuasai hi'n rhoi cnoc ar y drws yn lle ymdeithio i mewn fel hyn.

"Paratoi at y Sul? Wel ydw debyg. Mi wyddoch yn iawn, Mam, y bydda' i'n paratoi fy mhregetha' ar ddechrau'r wythnos ac nid ar 'i diwedd hi." Hyn i gyd mewn tôn fwy pigog nag arfer.

"Da machgen i. Mi fydda'r cyn-esgob yn arfer â dweud fod un bregeth cyn nos Lun yn werth dwy ar nos Wenar."

Disgynnodd llygaid yr hen wraig a sylwodd bod ei hunig fab yn gwisgo ei sgidia' uchel yn y stydi!

"Edward, cariad, do's dim rhaid i chi wisgo'r ddwy stemar fawr 'na yn y stydi, a difwyno'r unig garped sydd o werth yn yr holl dŷ. Tynnwch nhw'r munud 'ma, dyna fachgen da."

A daeth yr hen wraig gam neu ddau yn nes a bygwth plygu i ddad-angori'r ddwy stemar.

Bu bron i'r mab lewygu wrth weld ei fam dduwiol o fewn troedfedd neu ddwy i'r rhes arfau oherwydd pe dôi hi i wybod am y bwriad ni fyddai ganddo obaith i dorri'r wythfed gorchymyn. Trosglwyddodd ei bwysau yn anniddig o un droed i'r llall.

"'Rydw i ar droi allan Mam . . . ma' . . . ma' 'na waith bugeiliol pwysig yn fy aros i. Ewch chi trwodd i'r gegin, Mam, ma' . . . ma' hi'n rhy oer o ddim rheswm i wraig o'ch oed chi i sefyllian yn y fan hon. Ewch ar ych union."

A bugeiliodd Molyneux ei fam oedrannus gan ei gwthio i
gyfeiriad y drws.

"Peidiwch â gwneud môr a mynydd o betha', Edward.
Tydw i ddim yn oer a thydw i ddim yn sefyllian, ond y
mae hi'n rhy dawchlyd o ddim rheswm i chi droi allan
heno. Pwy ar y ddaear sy'n galw am wasanaeth ficer
ar noson fel hon?"

"Cyfrinachol, Mam, cyfrinachol, Mam," gan ddal i
wthio'r hen wraig. "Mi wyddoch cystal â neb am natur
y gwaith a . . . ac yn y blaen."

Teimlodd Edward Molyneux ei fod yr eiliadau hynny
yn torri un arall o'r Deg Gorchymyn—"anrhydedda dy dad
a'th fam." Daeth llais ei fam o bellter y gegin.

"Cofiwch, Edward, roi ych fest wlân os ydych chi am
droi allan. Mae hi'n dawch gwyn ymhobman."

Wedi troi hen wraig ei fam dros yr erchwyn safodd
Molyneux â'i gefn ar y drws i sychu'r chwys. Cafodd ei
waredu o gongl gyfyng ond curai ei galon ddengwaith
cyflymach nag o'r blaen. Wedi rhoi tro i'r allwedd yn
nhwll y clo aeth ymlaen gyda'r gwaith pwysig o archwilio'r
offer rhyfel.

Am hanner awr wedi naw camodd y Parchedig Edward
Molyneux dros drothwy'r Ficerdy yn gwisgo ei gôt ucha'
ail-orau, ac edrychai fel sguthan wedi ei hanner saethu.
Bu'n dyfalu'n hir pa wisg oedd yn addas i'r gwaith ond
daeth i'r casgliad mai'r gôt ucha' ail-orau a fyddai yn fwyaf
defnyddiol a hynny oherwydd dyfnder ei phocedau. Rhaid
i leidr wrth hwylustod i gludo arfau. Cil edrychodd dros
ei ysgwydd rhag ofn bod llygaid hen wraig ei fam yn dal
ar ei war, ac yna cip sydyn i'r dde ac un arall i'r chwith.
Am yr awr olaf bu'n darllen cyfrol yn y gyfres *The Home
Pupil—Burglary Made Easy* o waith *No.* 12214, a hynny

i geisio mynd dan groen y profiad o ddwyn, ac yn wir,
wedi darllen y llyfr y teimlai ei hunan yn llithro'n hwylus
i ysbryd y gwaith.

Fel 'roedd o'n pasio llidiart Tŷ Cam neidiodd cwningen
fechan o'i chuddfan a sboncio'n hamddenol ar draws y
ffordd. Neidiodd Molyneux i'w chanlyn. Oni bai am y
teligram a ddaeth iddo echdoe o Little-Mallet-cum-Picton
yn ei orfodi i gyflawni'r gorchwyl, go brin y byddai byth
wedi mentro allan o gwbl.

I dynnu ei feddwl oddi ar bethau ceisiodd ddwyn i
gof union eiriad ei hen gyfaill.

" DELIVER BIANCO TO LONDON MONDAY STOP
DISOBEY AND WILL REPORT PREACHING
FESTIVAL TO BISHOP STOP WARNING STOP
FRIEND VICTOR." Rhywbeth i'r cyfeiriad yna. O wel,
pe deuai miri Gŵyl Sant Swithin i glustiau'r Esgob newydd
byddai'n rhaid iddo ffarwelio â'i fywoliaeth os nad â'i
alwedigaeth, ac felly 'doedd dim amdani ond lladrata
darlun Deliago Bianco, dros dro beth bynnag, a'i hebrwng
i Lundain ar y trên cyntaf fore Llun. Gresynai hefyd
wrth weld ei hen gyfaill, yr Isgapten Victor Jones o Picton
Hall yn dal gwn wrth ei ben ond dyna fo arian fu'r peth
cyntaf ym mywyd Vic J. erioed. Wrth gwrs pe cadarnhai'r
arbenigwr yn Llundain fod y gath a'r edafedd yn waith
gwreiddiol a phe llwyddai i'w brynu am bris rhesymol
yna byddai pawb ar eu hennill, a châi yntau gynnig ei
law i Laura Elin—a chymryd fod Laura Elin yn dal yn
awyddus i gydio yn ei law. Oedd Vic Jones yn deud y
gwir? Ai festri Sant Dyfrig wedi'r bregeth oedd y man
cyntaf i Laura Elin ac yntau gyfarfod? 'Roedd 'na ryw
wreichion gwahanol yn llygaid gwraig y Felin y noson

honno, yn union fel petai tân yn cael ei gynnau ar hen aelwyd.

O feddwl am Laura Elin o'r Felin aeth Molyneux, yn anffodus, i feddwl am Hywal ei mab, a byddai meddwl am hwnnw yn codi cyfog gwag arno fel rheol. Tybed oedd y cringoch bach yn dweud y gwir? Heno, yn ôl Hywal, oedd y noson y byddai perchennog newydd Nefoedd y Niwl yn mwynhau un arall o geiliogod ieir y Felin, a heno felly oedd y noson i godi Deliago Bianco oddi ar ei hoelen. Ond beth pe byddai'r gwalch annifyr yn palu celwyddau? Fyddai hynny chwaith yn ddim i ryfeddu ato. A meddwl ei fod o wedi talu hanner can ceiniog iddo am y wybodaeth gyfrinachol hon. O wel, fel y dywedodd ar ei bregeth sawl gwaith, rhaid dal i ymddiried yn ein cyd-ddynion er i ni gael ein siomi ynddynt dro ar ôl tro.

Er ei syndod cafodd Molyneux ei hun eisoes wrth lidiart Nefoedd y Niwl. O leiaf 'roedd o bron yn sicr mai hwn oedd llidiart Nefoedd y Niwl. 'Doedd hi ddim mor hawdd gwahaniaethu rhwng llidiart a llidiart a thawch gwyn yn lapio am bopeth, ond diolch amdano. Pwysleisiai awdur *Burglary Made Easy* y pwysigrwydd o ddewis noson addas i'r gwaith ac awgrymai mai noson niwlog ddileuad gyda chwa denau o wynt oedd yr un ddelfrydol. Rhyfeddai Molyneux iddo lwyddo i ddewis noson mor weddus â hynny ganol ha'.

Wedi cerdded ar gylch eang, un arall o gynghorion yr *Home Pupil*, cyrhaeddodd Molyneux glawdd yr ardd a safodd eiliad i gael ei wynt ato ac i glymu ei esgid. 'Roedd yr hen dŷ ffarm mor dywyll â bol buwch a dim siw na miw i'w glywed yn unman, ac eithrio ryw chwa ysgafn o fiwsig band a ddyrchafai o berfedd y garafan. Ond 'roedd peth felly i'w ddisgwyl yn ôl 12214. Pwysleisiai'r awdur hefyd mai dan amodau naturiol y byddai'r lleidr amatur yn fwyaf tebygol o lwyddo yn ei genhadaeth.

Wedi cau un esgid a gwneud yn siŵr fod y llall wedi ei chlymu'n ddiogel aeth Molyneux i chwilio am yr arfau ac i ddechrau gwisgo. Gwell rhoi'r mwfflar du am ei wyneb i gychwyn ac yna tynnu'r sanau neilon dros ei 'sgidiau. 'Roedd amser gwerthfawr yn cael ei golli hefyd. Biti na fyddai gan hen wraig ei fam draed nobliach. 'Roedd un stemar yn mynd i'r hosan yn hwylus ond 'roedd hi'n amhosib' gwthio'r llall i mewn. Daeth llafn o leuad o ganol y tawch i sgleinio'n wantan drwy goed yr ardd a gwelodd y Parchedig Edward Molyneux ei gamgymeriad cyntaf. Darllenodd—*PANTI TIGHTS SUPER STRETCH SIZE* 8½ (*Small*). Pam gynllwyn oedd yn rhaid i'r hen wraig o'i hoed hi wisgo gêr o'r fath? Dwy hosan ar wahân a wisgai pawb normal.

Yn gyflawn ei wisg, ac eithrio'r 'sanau, blaen-droediodd y lleidr ei ffordd at ffenestr ffrynt Nefoedd y Niwl a chyda help y gyllell crafu-tatw finiog daeth y paen gwydr yn rhydd o'i le. Fel yr estynnai ei law yn ofalus drwy'r twll yn y ffenestr gwelodd ei ail gamgymeriad—'roedd y ffenestr eisoes yn agored gryn chwe modfedd a gwastraff ar amser prin fu rhyddhau'r gwydr. Rhwng y gôt ail-orau, y mwffler du, y pâr menyg a'r sbectol haul cafodd drafferth fawr i godi ei hun dros silff y ffenestr.

Ar ei ffordd yn ôl o'r tŷ darganfu mai yr hyn a elwir ym myd y mabolgampau yn ' *American roll* ' oedd yr unig ffordd daclus i fynd a dod drwy ffenestri, a disgynnodd yn grefftus i bridd y border bach a'r parsel papur llwyd yn ddiogel wrth ei ochr.

Bellach 'roedd hi'n hwyr glas i hel y gêr at ei gilydd oherwydd rheol aur y *Burglary Made Easy* oedd casglu'r cwbl ynghyd cyn ymadael. Byddai'n barod i roi tro ar ei sawdl y funud hon oni bai am y paen felltith a ryddhawyd mewn camgymeriad. B'le yn y byd mawr 'roedd o wedi rhoi y clap pyti hefyd? Rhaid cael gafael yn hwnnw beth bynnag.

Cymerodd gryn ugain munud i'r Parchedig Edward Molyneux osod y paen gwydr yn ôl yn ffrâm y ffenestr, pum munud yn fwy nag a gymerai i draddodi pregeth a deunaw munud yn hwy na'r amser a neilltuid ar gyfer y gwaith yn nhabl amser yr *Home Pupil*. Y drafferth fwyaf a gafodd oedd gwahaniaethu rhwng bysedd y faneg a'r lwmpyn pyti. Fel 'roedd o yn sychu'r pâr menyg yn y glaswellt agorodd drws y garafan, a thaflwyd llafn llydan o olau ar ffenestri ffrynt Nefoedd y Niwl. Neidiodd y ficer dros ei ben a'i glustiau i lwyn brigog o rhododendron.

"*We're just takin' Scoobie Doo for his walkies,*" meddai'r llais cyntaf. "*Only as far as the front of the 'ousy 'ousy,*" meddai'r ail lais.

Rhwng brigau'r rhododendron gwelodd y Parchedig Edward Molyneux y spaniel clustiog yn teithio'n union i gyfeiriad y border bach a'r parsel papur llwyd, ac yna yn dechrau synhwyro'r gêr pechu gydag afiaith.

"Shw . . . w . . . w. Shw . . . w . . . w," meddai'r llwyn rhododendron, a neidiodd Scoobie Doo gryn lathen i'r awyr fel petai ei lond o lyngyr a charlamodd yn ôl i ddiogelwch y cwt sipsi.

"*Thought I 'erd a funny noise,*" meddai'r ail lais. "*Ugh this place is spooky,*" atebodd y llais cyntaf.

Yn y llafn golau sylwodd y person ar ddau chwarter ôl yn siglo eu ffordd i'r un cyfeiriad â'r ci.

"*Blimey, Scoobie has brought in a dirty ol' gluv,*" o berfedd y garafan, a chaewyd y drws alwminiwm yn glep.

Cafodd y Parchedig Molyneux daith hwylus fel y dychwelai o ardd Nefoedd y Niwl i'r ffordd fawr, ac eithrio iddo faglu unwaith ar draws gweddillion hen drap twrch a rhwygo ei gôt. Bellach câi hamdden i sychu'r chwys oddi ar ei war ac i anadlu yn fwy normal. Gan fod chwarter o leuad yn mynnu dod i'r golwg drwy'r tawch penderfynodd mai doethach fyddai cadw'r sbectol haul ar ei drwyn a'r mwffler du am ei wyneb nes cyrraedd gartref. Trueni iddo golli'r faneg wen hefyd—" *leave no trace of evidence,*" meddai 12214—ond bellach 'roedd y Ficerdy yn y golwg a llun gwerthfawr Deliago Bianco dan ei wasgod.

Bu Elis Robaitsh am bum munud ar hugain neu well yn craffu ar y ffigwr du afrosgo trwy wydrau cryf ei ysbien-ddrych, a diolchodd unwaith yn rhagor am rodd werth-fawr ei gyd-ddiaconiaid ac am i'r lleuad weld yn dda i godi mewn pryd. Dyma'n ddiamau yr ysbryd aflawen fu'n rhoi 'i bump ar eiddo'r fro, ac er nad oedd Elis Robaitsh yn gryf o galon 'roedd o o leiaf am fentro bwrw'r lleidr i'r llwch.

Codwyd y Parchedig Edward Molyneux o'r llwch â llaw enfawr yn dynn rhwng ei goler gron a'i bibell wynt. Teimlodd law arall yn chwipio'r myfflar oddi ar ei wyneb, ac yna fe'i gollyngwyd i'r llwch drachefn fel petai o'n daten boeth.

" Mawredd y ddaear, y Parchedig Molyneux . . . y . . . chi sy'na? M. . . ma'n ddrwg gynllwyn gin i fod mor hegar hefo chi. Ddaru chi ddim torri asgwrn?"

Tybiodd y person mai'r peth gorau dan yr amgylch-iadau oedd cymryd arno ei fod wedi cael ei dramgwyddo.

" Na, dim ond asgwrn fy mresus, ond peth peryglus iawn, Elis Robaitsh, yw neidio o ben cilbost ar gefn dyn diniwed a'i fwrw i'r llawr. Ond . . . y . . . dyna fo . . . mi allasai pethau fod yn waeth," dan guro'r llwch oddi ar ei ddillad.

"Howld on am funud, Mistar Molyneux, er ych bod chi'n berson, ga'i ddeud mod i wedi bod yn ych gwylio chi drwy'r spenglas 'ma—anrheg y diaconiaid imi fel y gwyddoch chi—a hynny am funudau lawer a 'dallai yn fy myw gredu ych bod chi wedi bod ar berwyl da."

"Pam hynny?"

"Wel, mi 'rydach chi wedi chwyddo'n rhyfadd o gwmpas ych canol fel petasach chi'n disgwl rhagor o deulu. 'Dydach chi ddim?"

"Nac ydw."

'Roedd Elis Robaitsh yn dechrau mwynhau ei hun.

"Ac i be andros ma' ishio myfflar du, a sbectols haul a hitha'n ganol nos?"

"Tydi hi ddim yn ganol nos," mentrodd Molyneux i newid y stori. Aeth Elis Robaitsh gam ymlaen a bygwth rhoi tro arall yn y golar gron.

"Atebwch fy nghwestiyna i ne . . . ne mi fydd yn rhaid i mi roi'r matar yn llaw Phillips y Plisman."

Yn ei ofid a'i ddychryn torrodd y ficer amryw o'r deg gorchmynion a phalodd lu o anwireddau. 'Roedd o'n gwisgo'r myfflar du i gadw'i frest rhag annwyd a'r sbectols haul rhag . . . iddo gael ei ddallu gan oleuadau beiciau modur a cheir a beics bach.

"Welwch chi 'run moto beic na fawr o fotos hyd ffordd gefn fel hyn, berfedd nos. A do's neb ffor 'ma yn rhoi gola ar feic bach ond Phillips y plisman a John Wan y car post. Be ydy hwn?" A thynnodd Elis Robaitsh y teits neilon allan o boced y ficer. "O! Yn y Felin 'dach chi wedi bod mi wela i."

" Ia'n Tad." meddai Molyneux gan deimlo y byddai anfoesoldeb yn llai o bechod na lladrata.

" Mi ddo i draw 'fory i ddeud yr hanas wrth hen wraig ych mam. Hynny ydy, os na fedrwn ni ddod i delera. Ma'n debyg nag ydy *hi* yn gwbod ych bod chi'n cerdded o gwmpas mewn sbectols haul, fel tasach chi'n fisitor, a bod sana neilon dynas y Felin yn sticio allan o'ch pocad chi," a chychwynnodd Elis Robaitsh i ffwrdd.

" Be ydy'r telerau?" holodd Molyneux yn nerfus.

Trodd Elis Robaitsh ar ei sawdl ac edrych ym myw llygaid y person.

" Rhoi Sul i'r Annibynwyr 'cw. Pregethu acw bora a nos a dwad i'r Ysgol Sul yn y p'nawn. Ma' hi'n anodd iawn ca'l prygethwrs at iws gwlad fel y gwyddoch chi."

Dan yr amgylchiadau rhoddodd y person addewid bendant, dyweded a fynno yr esgob, y deuai i bregethu i Gibea fore a hwyr cyn diwedd y flwyddyn. Estynnodd ei law allan.

' Ac mi 'rydach chitha Elis Robaitsh fel blaenor. . . ."

" Diacon," torrodd Elis Robaitsh ar ei draws.

" F . . . fel diacon, yn addo cadw'ch gair. Ac yn addo na soniwch chi 'run gair wrth yr un dyn byw am . . . am heno."

Yn betrusgar tynnodd y ffarmwr law fawr o boced ei drowsus a chydio yn llaw'r person.

" 'Rydw i'n rhoi fy ngair i chi, ond ma'na un amod arall i'r telerau. Mi wyddoch chi'n iawn yn bod ni wedi ailneud y festri 'cw—gwaith gwirfoddol i gyd—ond ma 'na fymryn bach o gosta' yn aros, ac mi 'rydw i am gyfraniad gynnoch chi at y gwaith."

" Wel, ma'. . . ."

" Cyfraniad sylweddol ne mi fydda i yn y Ficrej 'cw bora 'fory hefo stori'r sana neilon. Dwy bunt neu fymryn bach rhagor."

Addawodd Molyneux y byddai'n postio dwy bunt gyfan at gasgliad adeiladau eglwys Gibea cyn y Sul, ond bu'n rhaid iddo ysgwyd llaw Tŷ Cam drachefn i ddangos ei fod o yn selio'r fargen.

'Roedd hi'n fore Sadwrn a'r Parchedig Molyneux yn cerdded i fyny'r llwybyr i gyfeiriad ei gartref. Maentumiai ei fod wedi colli llawer o bethau y noson honno—un faneg, lwmp o byti, sbectol haul, gêr neilon ei fam, dwy bunt a llawer iawn, iawn, o hunan-barch. Ond o leiaf 'roedd darlun Deliago Bianco ganddo o dan ei wasgod, ac erbyn hyn yn glynu yn dynn yn ei grys isa.

Ym mrawddeg glo yr *Home Pupil* hyderai'r awdur y byddai'r profiad cyntaf o ddwyn eiddo yn ernes o oriau lawer o brofiadau difyr, tebyg yn y dyfodol agos, ond gwyddai Molyneux i sicrwydd mai'r *Burglary Made Easy* fyddai'n dechrau tân y gegin fore trannoeth.

13

'ROEDD hi'n chwarter i un ar ddeg-newydd-droi fel 'roedd J. R. Jeremeia Hughes yn llithro i mewn i fuarth Nefoedd y Niwl. Bu'n noson orawenus yn ei hanes.

Wedi stablu'r *Mercedes* gwyn yng nghysgod y tŷ gwair a sychu'i 'sgidiau, lle peryglus am faw gwartheg oedd llwybr y Felin, aeth J.R. ar ei daith hwyrnosol o gwmpas y beudai. Profiad meddwol oedd bod yn berchennog stryd o feudai gwag fel hyn a hynny yng nghanol tangnefedd gwlad Llŷn. Ac *'roedd* hi'n dangnefeddus—hynod yng nghyffiniau'r garafan. Bill ac Esther Pringle, mae'n debyg wedi galw ym mar y "Stitch in Time" bedair milltir i ffwrdd, a'r Pringeliaid bach wedi eu hanfon allan i browla. O wel, gwell iddo roi'i drwyn dros ddrws y garafan cyn noswylio. Fel arfer byddai Violet Sandra yno ei hunan bach yn gwarchod y ci.

"A sut ma'r iechyd, Mistar Hughes?"

Neidiodd J.R. fel iâr mewn sach a chwilio'r tywyllwch am y llais.

"Rois i flewyn o fraw i chi deudwch? Ma'n ddrwg gwtrin gin i ych styrbio chi 'rawr yma o'r nos ond '*matar of urgency*,' Mistar Hughes."

"O," yn surbychaidd, "chi'r postman sy 'na? Be . . . os gynnoch chi daith nos yn yr ha' fel hyn 'ta . . . codi drwy'ch hun ydach chi?"

"Mewn '*capacity*' arall 'rydw i yma heno," meddai'r car post yn bwysig, wedi teimlo'r ergyd i'r byw. "'Rydw i yma ar ran yr ardalwyr fwy na heb."

"O, felly."

"Ydw. . . . Ond waeth i ni heb a thrafod y broblam hon ar stepan drws. Y . . . nid problam felly ydi hi."

Wedi troi pob poced a'i hwyneb tuag allan cafodd J.R. afael ar allwedd y drws cefn ym mhoced chwith ei wasgod, ac aeth ati i ddatgloi'r drws.

" Be, fyddach chi'n arfar à chloi ych ` *property* ' tua Lerpwl 'na?" holodd John Ŵan i aros i'r drws agor yn iawn.

" Cloi? Bobol byddan. Fyddai fyw i chi roi'ch dillad ar y lein yn y fan honno heb roi rhaff amdanyn nhw."

" Felly wir," meddai'r postman mewn tôn a awgrymai ei fod am gadw hyn i gyd mewn co'.

" Dowch i mewn, Mr. Owen."

" Thenciw," a chamodd John Ŵan heibio i J.R. a dros y trothwy.

" 'Steddwch . . . os y gwelwch chi le."

" Thenciw." 'Roedd yno bump o gadeiriau yn y gegin.

" Gymerwch chi gwpaned o de pe taswn i yn rhoi tân dan y tegell?"

" Thenciw mawr."

Ac aeth J. R. Jeremeia Hughes ati i wneud te tramp i ddau. Yng nghyflawnder yr amser chwibanodd y tegell alwminiwm a thywalltwyd dŵr berwedig i'r ddwy gwpan.

" Yn wan neu yn gry y byddwch chi yn lecio'ch te, Mr. Owen?"

" Dew andro pidiwch à ngalw i yn *Mistar Ŵan* dra-gwyddol. John 'dwy i i'r wraig 'cw a Car Post fydd pawb arall yn fy ngalw i am wn i. O . . . yn wan y bydda i'n lecio nhe."

Caed eiliadau hir o dawelwch a'r ddau yn sipian eu te yn freuddwydiol. J.R. yn dyfalu be ar y ddaear fawr oedd neges postman am hanner nos a'r postman yn ym-wybodol o'i neges ond yn dyfalu p'run fyddai'r ffordd dyneraf i'w hanfon adref.

" Panad dda gynddeiriog ydy hon. Panad fel 'ma fydda yn Nefoedd y Niwl amsar yr hen bobol."

Gan iddo dderbyn cymaint caredigrwydd teimlai John Ŵan ei bod hi yn ddyletswydd arno i ganmol y te er fod dail fel gwymon yn nofio ar ei wyneb.

Daeth eli'r galon a'r ddeuddyn fymryn yn nes at 'i gilydd, ac yng ngwres y *Brook Bond* dechreuodd John Ŵan sgwrsio'n ddifyr am hyn a llall ac arall.

" 'Dwy'n cofio dwad yma yn lefnyn hefo nhad i weld llo gwrw a dau ben gynno fo. Ond nath o ddim byw yn hir. Y llo gwrw felly. Neith lloea bach ddim byw yn hir, os fydd gynnyn' nhw fwy nag un pen. Welsoch *chi* lo felly rywdro, Mistar Hughes? Llo hefo dau ben?"

" 'Do's gen i ddim co'," meddai J.R. yn gryg.

'Doedd ganddo fawr iawn o ddiddordeb ym mhethau'r pridd ar y gorau a llai fyth o ddidordeb ym mhethau'r pridd rhwng un ar ddeg a hanner nos.

" Hen lanc a hen ferch fydda'n byw 'ma, Hughes. Mi fuo'r ddau yn ffarmio 'rhen le 'ma am flynyddoedd lawar."

" O."

" Ia'n tad, Elis a Leusa Robaitsh. 'Dwy'n 'u cofio nhw yn iawn. Wel, 'doedd yr hen Elis yn ewyrth crwn cyfa' i Tŷ Cam, ac ma'r ddau yn ddigon tebyg yn 'u ffordd. Capal a chapal a chapal oedd petha' 'rhen Elis Robaitsh hefyd ond . . . y 'roedd 'na fwy o gic yn yr hen Leusa. 'Dwy'n cofio c. . . ."

" Gymerwch chi gwpaned arall John Ŵan os g'nai dywallt un?"

'Roedd yn gas gan J.R. roi spôc yn olwyn atgofion y Car Post ond 'roedd hi eisoes yn nesu at hanner nos a byddai'n rhaid iddo olchi'r llestri te wedi i'r postman ymadael.

" 'Dwy bron na chymera i un banad arall. Ma' sychad ŷch arna i y tywydd braf 'ma. Fyddwch chi'n gorfod codi yn y nos, Hughes?"

A gwthiodd John Ŵan ei gwpan de ar draws y bwrdd a'i gosod hi yn union dan big y tegell.

Anwybyddodd J. R. Jeremeia Hughes y cwestiwn personol, ond, wele, daeth cwestiwn arall o'r un natur.

" Draw yn y Felin y buoch chi heno, Mistar Hughes?"

" Wel, gan ych bod chi yn gofyn," atebodd J.R. yn ddiniwed, " Ia, yn y Felin y bûm i. 'Roedd Miss Williams wedi ngwâdd i yno am damaid o swper hefo hi."

" Dew andro mi gawsoch chi *swper* yno. Y . . . ' *knife and fork,*' Hughes?"

Ac unwaith yn rhagor, fel mae'n drist cofnodi, dyma'r broliwr yng ngŵr Nefoedd y Niwl yn mynnu codi i'r wyneb.

" Do, mi ges i bryd cyllall a fforc fel y byddwch chi yn 'i alw fo y ffordd yma—cyw iâr a thatws newydd i fod yn fanwl a gellyg tun yn goron ar y cwbwl. Pryd cystal a fuasach chi'n gael yn yr *Adelphi* unrhyw ddiwrnod. Pryd chwaethus dros ben."

Dechreuodd y postman blagio a wincio.

" Dim ond y person a chi, meddan nhw, sy'n cael ceiliogod ieir yn y Felin. Stwnsh rwdan gafodd Ned Foelgriafolen, medda fo. Stwnsh rwdan a phwdin llo bach i gloi. Ond dyna fo ma' gin Ned wraig fel y bydda nhw yn deud."

Chwarddodd John Ŵan yn uchel a hir am ben ei ddigrifwch ei hun, ond pan sylweddolodd fod y gwynt yn debyg o droi yn ei erbyn newidiodd ei gân.

" Y . . . Begw Robaitsh, Tŷ Cam, yn deud bod gynnoch chi ryw lun gwerthfawr gynddeiriog yma. Ydy peth felly yn ' *genuine* '?"

" Wel, mae o *yn* werth ceiniog neu ddwy yn ôl yr awdurdoda'."

" Ceiniog neu ddwy?"

"Wel, ychydig o filoedd i fod yn fanwl. 'Rydw i wedi gwrthod pum mil ar hugain amdano fo fwy nag unwaith. Gŵr o'r enw Deliago Bianco peintiodd o."

Chwibanodd John Ŵan y Car Post fel nico, i guddio 'i anwybodaeth ac i fynegi ei syndod.

Fel 'roedd J. R. Jeremeia Hughes yn ymroi i ganmol rhagoriaethau'r Eidalwr fel artist clywyd math o fiwsig ar yr awel a hwnnw'n torri ar dangnefedd y nos. O leiaf 'roedd y nodau cyntaf a ddaeth i glyw yn fath o fiwsig ond brefiadau di-liw oedd y gweddill.

"*In Dublin's fair city where the girls are so pretty*
I first set my eyes on sweet Molly Malone . . ."

a hynny mewn tenor myglyd. Daeth ychwaneg mewn contralto meddw,

"*She was a fishmonger, but sure 'twas no wonder*
For so were her father and mother before."

"Be gwtrin ydy'r canu 'na?" holodd y postman yn gynhyrfus gan godi ar ei draed. "Ydy hi'n amser hel c'lennig yn barod?"

Teimlai J.R. yn annifyr ac yn groen gŵydd i gyd. Gwyddai y byddai'n rhaid iddo gyfaddef y gwir yn fuan neu'n hwyr.

"O . . . y bobol sy'n aros yma yn y garafan ydy rheina. Nhw sy'n canu. Ma' nhw'n tueddu i fwynhau eu hunain ormod ar fin nos fel hyn ac yn methu peidio canu, ond dyna fo, felly y gwelwch chi bobol Lerpwl yn amal."

"O," ac eisteddodd y postman yn ôl yn 'i gadair a nodio ei ben i arwyddo 'i fod o'n cadw'r cyfan mewn co'.

Daeth y cantorion yn nes a sefyll yn sigledig â'u pwysau ar ddrws cefn y Nefoedd.

"*Ha . . . Ha . . . Happy dreams, Jerry,*" meddai'r gontralto yn garbwl a beichio chwerthin dros y lle.

"*O! my darling, O! my darling, O! my darling
Clementine,
She is lost and gone forever, O! my darling Clementine.*"

Tagwyd y gân faswedd yng nghyfyngder y garafan, a
daeth John Ŵan y postman yn ôl at ei goed.

" 'Dwy'n cofio 'rhen Ned, Ned Mul fyddai'n byw yn y
Felin cyn dyddia' Laura Elin . . . ond 'doedd o'n gefndar
cyfa' i'w mam hi. Mi fydda Ned yn drewi fel briwari
ben bora bach a. . . ."

'Roedd J. R. Jeremeia wedi cael hen ddigon o atgofion
bore oes am un noson ac meddai yn reit siarp,

" 'Roeddach chi'n deud, John Owen, ych bod chi yma
ar neges—problem, dyna'ch gair chi. Newch chi ddeud
yn gynnil beth ydy'r neges neu'r broblem i mi ga'l . . . i
mi ga'l mynd i fy ngwely cyn un. Wedi dod i'r oed yma
tydy oriau hwyr ddim yn dygymod hefo mi."

Bu John Ŵan y Car Post yn ei ddyddiau cynnar, yn
fuan wedi'r Diwygiad, yn pregethu yn gynorthwyol gydag
enwad parchus y Wesleaid a phan fyddai galw arno gallai
osod mater gerbron yn gryno a deheuig. Gwnaeth hynny
yn awr. Cododd o'i gadair a cherddodd linc-di-lonc o'r
pentan i'r pantri ac yna yn ôl o'r pantri i'r pentan gan
adrodd ei neges wrth gerdded.

Mewn geiriau dethol, ac eithrio talpiau o eiriau Saesneg
a luchiai i mewn yma ac acw, eglurodd fel 'roedd ardal-
wyr Bol y Mynydd wedi colli llawer o'u heiddo o fewn
ychydig ddyddiau—llysiau o'r caeau a'r gerddi, wyau gori
o'r nythod, ceiliogod brestiog o'u clwydi, ac un os nad dwy
ŵydd dew. Yn wir, collodd Gwen Thomas, Tyddyn
Meirion, goban neilon newydd danlli oddi ar y lein ddillad,
ond fe welwyd yn ddiweddarach mai'r hwch focha oedd
wedi bwyta honno. 'Roedd hi'n union fel petai rhyw bla
dirgel wedi cydio yn yr ardal a hwnnw'n newid cymeriad

D

hen ardalwyr cymeradwy dros nos. Aeth gwŷr cyhyrog
yn chwannog i grio fel babanod ac aeth hen ferched, a
fu'n byw yn hunanol o ddewis, i chwilio am gymheiriaid
bywyd yn unig er mwyn diogelwch.

Fel 'roedd John Ŵan yn troi yn ôl o ddrws y pantri am
yr unfed tro ar ddeg clywyd cnoc ysgafn fel cripiad cath
ar ddrws y cefn, ac yna llais llawn catâr.

" *Just to know that I'm off to bed now, luv,*" ac wedi
cyrraedd i olwg y gegin y gwelodd Violet Sandra faint ei
chamgymeriad.

" *Didn't know ye had company, Mr. Ughes.*" a rhodd-
odd Violet law ar ei cheg i arwyddo ei braw a'i syndod.

" *It's quite in order,*" meddai J.R. yn fwyn, " *He's only
the village postman and he's about to leave.*"

" *How do you do, m'am?*" meddai John Ŵan yn glên
gan fygwth ysgwyd llaw. 'Roedd Violet Sandra yn ad-
nabod dynion a throdd ar ei sawdl gan adael y postman yn
sefyll ar lawr y gegin â'i law dde yn hongian yn yr awyr,
yn edrych yn union fel mynegbost yn pwyntio i un
cyfeiriad.

" *See ye'n the mornin', Mr. Ughes. Sleep tight.*"

Wedi'r glep ar y drws bu ysbaid o dawelwch. J.R. yn
disgwyl i'r postman ail-gydio yn ei bregeth, a'r postman
am wneud yn siŵr fod yr ymwelydd allan o glyw.

" 'Roeddech chi'n dod at y pwynt John Owen."

Ond wnaeth John Ŵan yr un ymdrech i ail-gydio ym
mhen llinyn y stori dim ond edrych yn ddwl-hiraethus i
gyfeiriad y drws cefn a dweud,

" Tamad neis, Mistar Hughes."

" Y?"

" Gwraig ddymunol . . . y wraig oedd yma hefo ni
ychydig eiliadau nôl. Mi wna hi wraig ffarm glyfar i
rywun, a chymyd 'i bod hi'n sengal te."

" Miss Pringle oedd honna. Hi oedd fy howscipar i yn Lerpwl. Yn y garafan ma' hitha yn aros ac mi fedrwch alw yno 'fory os ydach chi'n awyddus i weld ei ' *Identity Card* ' hi."

Sylwodd John Ŵan ar y golau coch yn fflachio yn llygaid gŵr y Nefoedd ac aeth ymlaen gyda'i bregeth yn ddiymdroi gan ddechrau ail-gerdded llawr y gegin drachefn.

" Fel 'ro'n i'n deud, Hughes, cyn i'r wraig ddymunol, glyfar, *well-dressed* 'na ddod i mewn a. . . ."

Ond wedi gweld gwrychyn J. R. Jeremeia Hughes yn bygwth ail-godi eilwaith penderfynodd Car Post hepgor rai o'r ansoddeiriau a dychwelyd at bethau mwy perth-nasol.

" Fel 'ro'n i'n deud ma'r dwyn 'ma wedi mynd yn bla ar y ' *community* ' a heno mi fuo 'na gyfarfod o'r ardalwyr i drafod y matar, ac ma' nhw wedi fy anfon i yma i'w cynrychioli nhw."

" Felly wir," meddai J.R. yn wyliadwrus ac oer, " felly wir."

" Ydyn, ac ma' nhw am i mi ofyn cwestiwn personol i chi." 'Roedd y postman yn sefyll yn 'i unfan erbyn hyn a theimlai yn llai sicr o'i siwrnai.

" Ydach chi, Mistar Hughes, wedi colli rwbath o gwbwl?"

" Na, dim hyd y gwn i, er fy mod yr eiliadau yma *bron* â cholli fy nhymer."

" Dim wyau?"

" Sgin i ddim ieir."

" Na cheiliogod?"

" Sgin i ddim ieir." (Y frawddeg yn cael ei hail-adrodd gyweirnod yn uwch ac yn llawer cyflymach.)

Sylwodd John Ŵan ei fod o bellach yn cerdded ar sigl-
dynnu a meddyliodd mai dyma'r amser aeddfed i wneud
yr honiad holl bwysig—ac fe'i gwnaeth, gwaetha'r modd.
" Tydy llwynogod call byth yn lladd yn ymyl y ffau.
Mi wyddom ni bellach pwy sy'n dwyn yn petha ni fel
plwyfolion."

Dyna'r frawddeg gyfan olaf a lefarodd John Ŵan y
Car Post rhwng muriau Nefoedd y Niwl y bore hwnnw.
Ni fyddai neb yn synio am J. R. Jeremeia Hughes fel
enaid nwydwyllt, yn wir, ar wahân i ychydig droeon prin,
treuliodd oes gyfan yn mud-losgi a mygu.   Eithr pan
glywodd J.R. y postman am chwarter i un yn y bore yn ei
gyhuddo, fel y tybiai ar y pryd, o ddwyn eiddo'r ardal-
wyr aeth y lludw yn fflam. Llamodd o'i gadair fel
cangarŵ blwydd, neidiodd gam neu ddau ymlaen, cydiodd
yn llabedi siaced y postman a'i gario ar draws y gegin i'r
drws fel cath yn llusgo sgwarnog.   Cafodd beth anhawster
gyda'r drws rhwng bod John Ŵan yn gwingo, a hefyd yn
gweiddi nerth esgyrn ei ben, " *I am gyfarment property.*"
Wedi llwyddo i lusgo'r drws ar agor ail-gydiodd J.R. yn
dynnach yn ei ysglyfaeth a'i daflu.   I fod yn fanwl, fe'i
taflodd drwy'r awyr gryn ddwylath nes disgyn o'r postman
ar wastad ei gefn yn y domen dail.

Wedi ysgwyd y llwch oddi ar ei ddwylo a chyweirio
ei wasgod aeth J. R. Jeremeia Hughes yn ôl i'r tŷ ac i
fyny'r grisiau i'w wely. O ffenestr y llofft gwelodd y domen
dail yn cerdded yn flinedig ar hyd llwybr i gyfeiriad y
ffordd, ac yn gymysg â'r crwnian meddw a ddyrchafai o'r
garafan tybiodd iddo glywed John Ŵan yn gweiddi ryw-
beth am " *mistaken identity.*"   Dyma'r munudau cyntaf
iddo sylweddoli pwy oedd y llwynogod call yn nameg John
Ŵan y Car Post.

14

Yn allanol edrychai'r Isgapten Victor Jones yn gwbl ddi-
bryder fel y cerddai yn hoyw o ddrws cefn Picton Hall i
gyfeiriad y cytiau cathod a chwibanai alaw Ffrengig gan
gadw amser gyda'i fysedd ar focs y gasmasc. Eithr o dan
yr howyder a'r chwiban ymchwyddai ton o bryder na wydd-
ai hyd yn oed ei gyfeillion agosaf amdani. Ac yntau o fewn
ychydig lathenni i'r ffatri gathod ymledodd y chwiban yn
gân, cân na ellir ei henwi hyd yn oed mewn llyfr Cymraeg,
ac ymatebodd y cathod drwy hewian, a mewian, a dringo
i fyny ac i lawr barrau'r caetsys. Chwedl yr hen ddihareb,
' fel yr edwyn cath ei pherchennog.'

Fel yr oedd yr Isgapten yn mynd i ddatgloi drws y
cwt cynta' ar gyfer y gorchwyl anhyfryd o garthu cafodd
y fath bigiad gan ei gydwybod fel y bu'n rhaid iddo sefyll
yn ei unfan am eiliad, a'r eiliad nesaf 'roedd o ar ei ffordd
yn ôl i'r plasty. Ni chlywodd fewian dolefus y gath angora,
ac ni welodd bymtheg stôn Ma' Mullington a ddigwyddai
fod yn glanhau stepiau y drws ffrynt. Ni welodd neb na
dim nes iddo gyrraedd diogelwch y stydi a chodi'r ffôn.

Chwythodd yn fyglyd i'r teclyn siarad heb na phlîs na
thenciw. " 'Rydw i am i chwi alw rhif yn y brifddinas i
mi, yn Shepherd's Bush. 3456 dyna'r rhif yn ôl y llyfr.
Galwad bersonol, os gwelwch chi'n dda."

" Bore da, Isgapten Jones," meddai'r ferch helo, wedi
adnabod y fref, " a'r enw os y byddwch chi mor garedig?"

" Angelique Bonnet, *Commissaire Priseur* o'r *Galerie
Cavoceppi* ym Mharis. Ma' hi'n aros yn *suite* cant a
naw *Ye Olde Ugly Duckling.*" Bu bron i'r ferch helo
droi'n ferch ta-ta wedi gwrando'r cegiad o Ffrangeg cartre

ond wedi i'r Isgapten addo y byddai'n sillebu pob gair
fesul llythyren daeth y wên yn ôl i'w llais.

"C am cwstard, o am omlet, m am margarîn. . . ."

'Roedd hi'n amlwg mai merch wedi ei magu ar fwyd
cartre oedd hon fel y mwyafrif o blant Little-Mallet-cum-
Picton.

Bu rhaid i sgweiar Picton Hall wrando'n hir ar gyfres
o glychau a swniau ffrio, cleciadau a chymalau diddorol o
sgyrsiau pobl eraill cyn iddo glywed y ffôn yn swnian yn
hir yn swyddfa groeso'r *Ugly Duckling.* Ymhobman arall
drwy Brydain bron 'roedd canolfur y gwahaniaeth eisoes
wedi ei ddatod a dyn yn gallu deialio y rhif a fynnai heb
boeni neb, ond 'roedd Little-Mallet-cum-Picton un chwarter
canrif ar ôl yr oes.

"Helo."

"*Half a mo.*"

"Helo. Angelique Bonnet?"

"*Half a mo' I say.*"

Ac o'r diwedd daeth llais yr Angyles mor glir â seiren
injan dân ar noson dawel a'r Saesneg yn berffaith.

"Angelique Bonnet yn siarad."

"Helo, Angelique cariad. Vic sy'ma. Vic J., Picton
Hall."

"Wel, helo siwgr. Sut ma' bywyd? *Ca va?*"

"Pryderus *Jan.*"

"Twt, twt, twt," a gwnaeth Angelique sŵn fel petai
hi'n gwadd lloeau bach i gael llith.

"Mi gofiwch y fargen ynglŷn â'r Bianco?"

"Hm."

"Llun y gath a'r bellen edafedd?"

"Hm. Ma'r llun i gyrraedd yma cyn i mi hofran yn
ôl i Baris nos Fawrth, neu dim bargen o gwbl." Yn fwy
meddal, "Mi wyddoch yr amgylchiadau, *chéri.*"

" Mi fydd y llun yn cyrraedd *suite* cant a naw yr *Ugly Duckling* cyn bore Mawrth, 'rydw i'n rhoi fy ngair i chi. Ond i ddychwelyd at y fargen."

" 'Rydw i'n gwrando, *Chéri.*"

" Ych barn onest chi am y darlun ac mi gewch ddeuddeg y cant o gomisiwn ar y gwerthiant, sleisen hael o'n proffid, Angelique."

" *Merveilleux.*"

" A deg y cant arall am ddeud celwydd wrth y per-chennog."

" *Deuddeg* y cant, siwgr?"

" Ond ma' hynny bron yn chwarter y proffit? Chwara teg. . . ."

" *M'ami?*"

" O, olreit, deuddeg y cant arall 'ta. Ond clywch, Angelique, ma' 'na beth newid yn y trefniadau."

" 'Rydw i'n dal i wrando, cariad."

" 'Rydw i am i chi newid tacteg, del—newid cwrs yng nghanol yr afon. Pan ddaw'r dyn â'r llun i'ch dwylo chi deudwch wrtho fo mai ffug ydy'r llun, gwir neu beidio. Reit?"

" O? A pham hynny, siwgr?"

" Stori hir, Angelique. Ac ma'r ffôn o Little-Mallet-cum-Picton i Sheperd's Bush yn ddrud. Yn fyr,—mi 'rydw i wedi cyfarfod hen ffrind."

" Eto, *Chéri.* Ma' ganddoch chi lawer o hen ffrindia."

" Ma' hon yn sbesial, Angelique."

" Ma' pob un yn spesial, ond be sy' wnelo hynny â Deliago Bianco?"

" Hyn . . ." a rhwng dau bip tri munud adroddodd yr Isgapten Jones hanes rhamantus ei ail-gyfarfyddiad â Laura

Elin o'r Felin yn festri eglwys Sant Dyfrig ar achlysur
Gŵyl Bregethu Sant Swithin.

"Y chi'n pregethu, Vic?" holodd y ferch yn anghred-
iniol. "Anhygoel!"

Carlamodd yr Isgapten yn ei flaen gyda hanes yr achos.
"'Rydw i wedi bod yn meddwl, Angelique."

"Anhygoel. *Sans blagues,*" meddai'r ferch drachefn.
Ond 'roedd 'na ail ran i stori'r Isgapten.

Pe deuai person y plwy lle bu'n pregethu, y gŵr a
hebryngai'r darlun, i'r *Ugly Duckling* cyn bore Mawrth, i
wybod bod y Bianco hwn yn wreiddiol gallai hawlio hyd
hanner y proffid.　A chyda'r proffid hwnnw fe brynai
dyddyn i Laura Elin o'r Felin a'i mab bychan a gadael
Angelique Bonnet, Vic Jones a phawb arall ar y clwt.

"Oes 'na fab yn barod? *Mon petit lapin?*"

Anwybyddwyd y sylw crafog.

"Ac felly, Angelique cariad, os na chedwir y cytundeb,
llai o spondolings i bawb ohonon ni."

"Cweit, Victór."

"'Rydach chi'n gêm?"

"Dibynnwch ar Angelique Bonnet."

Daeth cyfres arall o bipiadau rhybuddiol a thorrodd
yr Isgapten Victor Jones y sgwrs yn ei blas.

"Rhagor o gostau ffôn—llai o fwyd cathod.　Fe'ch
gwela i chi ym Mharis cyn yr hydref."

"Siŵr, cariad."

"Pryd i ddau yn y *Chat Noir* fel arfer?"

"Fel arfer!"

"Ac mi gadwch ych gair, Angelique."

"*Au revoir.*"

"*Cheerie Bye.*"

Gosododd yr Isgapten Victor Jones y teclyn yn ôl yn daclus ar ei dderbyniad, ac ocheneidiodd ddwy ochenaid ddiolchgar o ryddhad. Dim ond mewn pryd. Cododd y gêr carthu oddi ar ei ddesg a chychwynnodd i gyfeiriad y cytiau cathod am yr eildro. Fel y nesâi at y caetsys ni thorrodd allan i chwibanu y tro hwn ond adnabu'r gath angora sŵn troed ei pherchennog a thrawodd y cyweirnod priodol. Unodd yr holl gathod, yn wryw a benyw, yn fach a mawr, yn gynffonnog a di-gynffon, yn y gymanfa ganu gatholig!

15

"A TYDY hogia 'u hoed nhw ddim i fod i ddwyn potia jam o fynwentydd. Mi nath Hywal ni yn iawn i roi cythral o gweir i'r ddau hogyn. Deudwch chi hynna wrthi hi, Mistar Hughes, drosta i. Y drwg ydy na fedra i ddim rhegi yn Saesneg—gwaetha'r modd!"

Gwthiodd John Hughes flaen ei drwyn allan gyda chongl y cwt ieir, iddo gael gweld y gweithrediadau yn ogystal â'u clywed. Ac erbyn gweld, 'roedd 'na ddwy wraig yn y darlun, a'r rheiny'n sefyll un bob ochr i'r drws cefn, a dyn trwsiadus byr-dew yn cadw'r gôl rhyngddynt. Hwn, mwy na thebyg, oedd y J. R. Jeremeia Hughes, Ysgweier, y cafodd wŷs o'r pencadlys i alw heibio a'i weld. O leiaf 'roedd o'n medru cyfieithu a hynny'n dda.

" And, Mr. 'Ughes, you tell her from me that if I had caught her little 'Owell beating my brother's poor suffering children, I would have walloped his bottom, there and then. The cruel little brute."

Gwthiodd y gwyliwr ragor o'i drwyn i olau dydd, byddai ganddo ddigon yn weddill wedyn, ond tybiodd fod un o'r gwragedd yn edrych i'w gyfeiriad a thynnodd y cyfan yn ôl. 'Roedd yn rhaid bod yn ofalus mewn swydd fel hon. Nid ar chwarae bach y cafodd ei benodi yn Gasglwr Hen Ddyledion i ddyn neis y Credit Security Ltd., Bethnal Green, ac nid am ddim y cafodd gloc yn anrheg gan y ffyrm wedi un mlynedd ar hugain o weini ffyddlon. Gweld, gwylio, gwrando a gweithredu, dyna bellach unig arwyddair ei fywyd; ond 'doedd hi ddim mor hawdd gwylio o gysgod y cwt ieir, a 'doedd hi ddim mor hawdd gweithredu 'chwaith ymhob sefyllfa.

Dyrchafodd y lleisiau dôn yn uwch a daeth pen y neidr, unwaith yn rhagor, allan o'r twll.

" *Tell 'er from me, Mr. 'Ughes, if she can't understand plain English, to go to that place 'erself and that I have every intention of staying 'ere for a very long time. I'm privileged to stay with the Vicar for as long as I like, and he 'as asked me to help him to look after 'is poor ol' mum. And tell 'er to get stuffed.*"

Dechreuodd y gwyliwr rwbio'i ddwylo'n farus oherwydd 'roedd y sefyllfa'n datblygu yn unol â'r disgwyliadau. Edrychai ceidwad y gôl yn amlwg anghyfforddus a byddai'n haws i gael arian o'i groen ac yntau mewn cywair felly. Rhyfedd hynny hefyd. Yn ôl adroddiad yr ardalwyr 'roedd y Jeremeia Hughes hwn yn dipyn o ymladdwr ac wedi lluchio'r postman lleol ar ei ben ôl i'r domen dail, ond yr eiliadau hyn edrychai'n debycach i forwr yn sefyll ar ynys unig yn gwylio'i unig gwch yn mynd gyda'r dŵr. Ond 'doedd wiw hel rhagor o feddyliau gan fod y Gymraes am fwrw iddi unwaith yn rhagor.

" A deudwch chitha wrthi hi fod canmil croeso iddi gael y person a'i hen fam, a chitha ar ben y bwndel hefo nhw. Ma' gin i ym mhocad fy marclod fa'ma lythyr oddi wrth y dyn clên fuo'n pregethu hefo ni ar y Swithin yn gwâdd Hywal a finna ato fo i rannu'r tŷ hefo fo. A deudwch chi wrthi hi fod y tŷ yma yn blas ac nid yn *Ficrej* a bod y peson yma yn ganon ac nid yn rapscaliwn. Fydda i a Hywal ddim ar y comin wedi'r cwbl. O, na fyddwn."

Er ei bod hi'n gyfyng rhwng y cwt ieir a'r clawdd drain dechreuodd John Hughes ysgrifennu. Nid cyfansoddi cywydd nac awdl ond cofnodi rhai o'r negeseuau cynnes a anfonai y naill wraig at y llall. Gallai ffeithiau moelion droi'n fwledi hwylus maes o law. Cafodd gyfle i gasglu rhai ffeithiau wythnos yn ôl. Ei arfer erioed oedd galw yn yr ardal ychydig ddyddiau cyn yr ymweliad swyddogol a chael sgwrs am y cwsmer gyda'r trigolion ond 'doedd neb ym Mol y Mynydd, nac yn Mugwood Drive o ran hynny, yn gwybod llawer am J. R. Jeremeia Hughes. Wrth gwrs 'roedd pawb o'r farn mai hel merched oedd achos ei holl brofedigaethau. Ond dyna'r unig wybodaeth a gafodd. Rhaid eu bod nhw'n dweud y gwir oherwydd dyma ddwy o'r merched hynny yn y cnawd, un yn Gymraes a'r llall yn Saesnes, a'r ddwy yn datgan eu bod am droi cefn ar eu harwr a mynd at bersoniaid o bob peth am nodded.

Wedi i'r gwragedd ymadael cymerodd John Hughes hamdden i hel ei bethau at ei gilydd. Rhoi'r argraff fod y cyfan ar flaenau ei fysedd, dyna'r dacteg orau o ddigon. Oedd J. R. Jeremeia Hughes yn nyled ffyrmiau eraill, tybed?" Gwell edrych drwy'r rhestr cyn mynd i'r tŷ. Hm, dau grys isa' heb dalu amdanynt er y degfed o Dachwedd, 1945, a . . . a dyna'r cwbl. Byddai'n rhaid cofio am y crysau isa' os âi pethau o chwith.

Wedi cerdded ar gylch daeth y pen publican at ddrws ffrynt Nefoedd y Niwl a chnocio.

Y cam cyntaf oedd dangos y cerdyn ymweld. Mewn du angladdol: JOHN J. HUGHES, OFFICIAL DEBT COLLECTOR. CREDIT ASSURANCES LTD. BETH-NAL GREEN, LONDON E.2. Tel. 01-739 2000.

" P'nawn da, Mr. Hughes. Hughes ydy fy enw inna' hefyd fel y gwelwch chi, a Chymro da fel chitha.

Cydiodd J. R. Jeremeia Hughes yn y llaw wen, feddal, estynedig a'i hysgwyd yn ddi-afael.

" Ga i ddod i mewn, Mr. Hughes? Chadwa i mohonoch chi'n hir. Wel ddim yn hwy nag sydd raid felly."

" 'Steddwch," meddai J.R. yn sych, " os gwelwch chi gadair yn rhywle."

Cyfrifodd John J. Hughes bedair cadair ond dewisodd eistedd at yr un agosa i'r drws.

" *It at all possible take a seat by an open door to enable a quick retreat in an emergency* " oedd un o'r erthyglau yng nghyffes ffydd y *Credit Security Ltd.*, a bu'n dda i John J. Hughes wrth y cyfarwyddyd hwn lawer tro.

Plannodd ei law chwith i berfedd bag du croen morlo a thynnu allan fwndel o bapurau swyddoglyd yr olwg. Dyn byr, ysgafn o gorff oedd John Hughes â rhimyn tenau o fwstas, fel baw wennol, uwchben ei wefus ucha, ond gyda'r bwndel papurau ar ei lin edrychai'n hergod.

" Mi wyddoch fy neges i, Mr. Hughes, heb i mi ddeud gair? 'Rydw i yma ar ran y *Credit Security Ltd.* o Bethnal Green i weld ydy hi'n bosibl sut yn y byd i'ch cadw chi allan o garchar. Fel y gwyddoch chi, Mr. Hughes, mae carchardai ei Mawrhydi yn fwy na llawn fel y mae hi."

Cerddodd ias aeafol i lawr asgwrn cefn J. R. Jeremeia Hughes—'doedd o erioed wedi meddwl am ddiweddu ei ddyddiau tu ôl i farrau carchar 'chwaith.

" Ma'n ddrwg calon gen i, Mr. . . . Hughes da chithau'n te? Wel, ma'n ddrwg calon gen i, Mr. Hughes, fod ychydig yn flêr gyda'r taliadau ond rhwng newid tŷ a phopeth mi a'th . . . mi a'th y peth yn angof llwyr. Mi . . . mi ofala i y cewch chi siec y dyddia nesa 'ma fydd yn llyncu yr ôl-ddyledion i gyd."

" Siec, Mr. Hughes? Beth pe tae honno yn bowndio yn ôl fel pêl rowndars? Hyd y gwela i 'does 'na ddim yn y banc ar 'i chyfer hi, ac ma' hi'n siŵr o fowndio yn ôl."

"Dim yn y. . . ? Sut y gwyddoch *chi* hynny? Pa hawl sy' gynnoch *chi* i drafod cyfrifon preifat pobol ddiarth? Y?" a chododd gŵr Nefoedd y Niwl ei lais yn ffyrnig.

Ciledrychodd John Hughes i gyfeiriad y drws i weld bod hwnnw yn dal ar agor, ac yna tyrchodd i'r bwndel papurau unwaith yn rhagor. "I ddod at gyfrifon y *Credit Security Ltd.* Hyd y gwela i mae 'na chwe chant a hanner neu well yn ddyledus ar y cyfri' cynta. Cyfri' sy'n cael ei glustnodi fel y '*Mercedes Account*,' ac ma' 'na gyfri' arall wedi 'i agor hefyd os . . . os y galla i ga'l gafael yn y manylion," gan fyseddu'r bwndel dogfennau yn broffesiynol-bwysig. "O, dyma ni, Mr. Hughes. Na, fel 'ro'n i'n ofni, ma'r '*Property Account* yn sefyll fel yr agorwyd o saith mis a deuddydd yn ôl. Ma'n ddrwg gen i, Mr. Hughes, ond dyna'r ffeithia moel i chi, dyna'r ffacts i chi. Wel 'rŵan, sut ydach chi am yn cyfarfod ni?"

Sylwodd Jeremeia Hughes fod yr adwyon yn cael eu cau yn daclus fesul un ac un. 'Roedd y dyn bach â'r bag du croen morlo yn gwybod y cyfan oedd i'w wybod.

"'Do's dim alla i wneud am wn i ond apelio am drugaredd a gofyn i chi ddal arni am ryw 'chydig o ddyddia'n rhagor. 'Doedd y dyn neis welis i ym Methnal Green yn sôn fawr ddim am dalu yn ôl. Mi ddeudodd o y basa fo yn ymddiried ei geiniog ola' i mi—dyna'i union eiriau fo i chi, ei union eiriau fo."

"'Dach chi, Mr. Hughes, yn cofio i chi arwyddo contract?"

"'Dwy'n cofio i mi dorri f'enw ar ryw bapurau neu'i gilydd."

" Cweit so. Dyma i chi gopi ffotostad o'r cytundeb
wedi ei arwyddo. Ych sgwennu chi ydy hwn ynte?" A
dangosodd John Hughes dudalen wen lydan wedi 'i gor-
lenwi â chant a mil o baragraffau mân, mân, ac enw J. R.
Jeremeia Hughes yn daclus ar waelod y dudalen.

Aeth y dudalen wen yn ôl i ganol y bwndel cyn i J.R.
gael cip ar y mân baragraffau a daeth un arall allan yn ei
lle.

" 'Dach chi, Mr. Hughes, yn cofio i chi gael llythyr o'r
Brif Swyddfa ar y nawfed o Fai y flwyddyn hon, ac un
arall ar y nawfed o Fehefin, ac un arall ar yr ail ar hugain
o'r mis hwn? Os nad ydych chi'n cofio dyma i chi gopi
ffotostad o'r tri llythyr," a chwifiwyd tudalen arall, un
werdd y tro hwn, o fewn modfedd neu ddwy i drwyn
J. R. Jeremeia Hughes. " 'Does 'na ddim cofnodiad, Mr.
Hughes, ych bod chi wedi ateb yr un o'n llythyrau ni.
A . . . Mr. Reginald Lent, ein Rheolwr-Gyfarwyddwr ni,
wedi'u harwyddo nhw â'i law ei hun."

Am eiliad daeth llafn o ddireidi i lygaid J.R. " Â'i law
ei hun medda chi. Wel, go brin y medra fo'i harwyddo
nhw hefo llaw neb arall, os nad oes ganddo fo fraich
gorcyn."

Ffromodd y dyn bach yn aruthr. " Ma' 'na le i bopeth,
Mr. Hughes ac ma' 'na i bopeth 'i le. 'Rydw i'n ddyn
hwyliog fy hun ond ma'r mater sydd gerbron yn un difrifol
i'r eitha. Ac ma' 'na ryw si yn yr ardal bod y postman
lleol am ddwad ag achos i'ch erbyn chi hefyd. 'Rydw i'n
clywed ych bod chi wedi 'i daflu o allan wysg 'i gefn i'r
domen dail. Ma' 'na le i bopeth, Mr. Hughes, fel y deudis
i, ond nid y domen dail ydy lle y postmyn sy'n weision i'r
Llywodraeth, ac yn cario'n llythyra ni."

Tynnodd John Hughes glamp o hances wen o boced ei gesail a'r llythrennau C.S. wedi eu brodio'n fras arni, ac aeth ati i sychu'i drwyn yn swnllyd. Gwaith chwyslyd oedd darlithio i'r cwsmeriaid ar faterion moesol yn ogystal. Aeth yn ei flaen. "Mae'n ddrwg gen i gynhyrfu fel yna." Plymiodd fel Bili Dowcar i fwndel arall o bapurau. "Dowch i ni weld oes 'na rywbeth allwn ni 'i hawlio oddi arnoch chi mewn achos a feth-daliad fel hyn. Wrth gwrs mi fydd yn rhaid i ni hawlio'r car a'r tŷ ffarm 'ma, ond y drwg ydy fod ceir yn colli yn eu gwerth, a thai fferm hefyd ambell dro. Wel, wel," meddai John Hughes yn llawen, fel petai o newydd gael hyd i bishyn swllt o dan ei obennydd, "dyma ydy darganfyddiad hapus. Yn ôl y ffurflen yma ma' gynnoch chi ddarlun gwerthfawr yn eiddo i chi—darlun allasai fod o fwy o werth na'r benthyciadau i gyd. Llongyfarchiadau calon, Hughes," a chododd y dyn bach i ysgwyd llaw.

"Diolch i chi," meddai J.R. yn foesgar a gollwng ochenaid drom o ryddhad. "'Rydw i'n falch gynddeiriog o'r llun ac yn falchach heddiw nag erioed."

"'Dydach chi ddim wedi nodi pris y llun, Mr. Hughes. Dim ond dweud 'i fod o *of considerable value*. Beth yn union ydy gwerth y darlun yma, a meddwl am brisiau'r farchnad ar hyn o bryd?"

"Pum mil ar hugain os nag ydy o'n rhagor. Fel mae'n digwydd mi 'rydw i wedi gwrthod mwy na hynny yn barod."

Neidiodd John Hughes ar ei draed yn frwdfrydig a gwthio'r bwndel papurau yn ôl i'r bag du croen morlo rywsut, rywsut. "'Does gynnoch chi ddim problem, fy nghyfaill i. Dim problem o gwbl. Fe dderbyniwn i y darlun yn llawen, a chitha fydd piau'r cerbyd a'r ffarm."

" Y *tŷ* ffarm."

" O ia, mae'n ddrwg gen i, y *tŷ* ffarm."

Cerddodd y dyn bach gam neu ddau i gyfeiriad y drws, ac yna troi yn ei ôl yn sgit.

" Mi drefna i i'n prisiwr ni alw heibio o fewn wythnos neu ddwy. Ond . . . os nad ydy o wahaniaeth mawr gynnoch chi, Mr. Hughes, mi gymera i olwg frysiog ar y llun fel y medra i 'i ddisgrifio fo i Mr. Lent—y dyn neis, fel 'roeddach chi yn 'i alw fo."

Ni ellir dweud i J. R. Jeremeia Hughes brancio a neidio er yn blentyn ond gwnaeth rywbeth tebyg rhwng y ddau wrth arwain John J. Hughes, y casglwr dyledion, o gegin Nefoedd y Niwl i'r parlwr gorau. Daeth gwaredigaeth iddo unwaith yn rhagor, a hynny o gongl gyfyng dros ben. O wel, i Fianco bo'r canmil diolch. Agorodd ddrws y parlwr gorau yn hoyw, a dweud, " fan'cw ar y dde, Mr. Hughes, uwchben y lle tân."

Rhythodd y ddau 'run pryd ar hoelen unig ar ganol y pared, a sgwâr wag o'i chwmpas, fe petai 'na ffrâm pictiwr wedi gorffwys yno unwaith. Gwnaeth J.R. sŵn fel eliffant wedi cael annwyd yn ei drwyn ac yna disgyn yn glewt ar garped y parlwr gorau yn farw i'r byd.

16

Nɪ fu ficer plwy Bol y Mynydd rioed yn gredwr cryf mewn pregeth bapur, er iddo brynu bwndel neu ddau ar ambell gyfnod di-ysbrydoliaeth yn ei hanes. 'Roedd yn well ganddo bob amser bobi ei fara ei hun a thraethu ei genadwri o'r frest. Fodd bynnag, yn ystod y daith luddedig o berfedd Llŷn i Lundain bu'n dda iawn iddo bregeth o'r fath, a bu'n rhaid iddo ei dangos i amryw o'i gyd-fforddolion.

*ANGELIQUE BONNET, COMMISSAIRE PRISEUR, GALERIE COVACAPPI, PARIS, c/o YE OLDE UGLY DUCKLING, TANNER TERRACE, SHEPHERDS BUSH, LONDON, W.*12. Edrychai'r bregeth yn debycach i adnod o Lyfr y Cronicl na dim arall ond bu'n gymorth i'w ddwyn yn gyflym a dianaf at borth eang, costus yr *Ugly Duckling.* Gyrrwr tacsi, Cocni pur, oedd yr olaf i gael cip ar y dernyn papur ac 'roedd ei ymateb o y peth tebycaf i regfeydd a glywodd Edward Molyneux erioed. Serch hynny, fe'i cludodd yn ddiogel i ben ei siwrnai, a chyn pen ychydig funudau 'roedd o'n baglu'i ffordd allan o sedd gefn y cab, yn dringo stepiau urddasol y gwesty, ac yn diflannu drwy'r drysau gwydr i berfedd yr adeilad.

Os oedd y tu allan i'r gwesty yn chwaethus 'roedd y tu mewn yn nefolaidd. Carpedi trwchus lliw wiwer lwyd yn ymestyn i bob cornel, a chawod o fiwsig hyfryd yn disgyn dros bawb a phopeth. Teimlai'r ficer mor anghyfforddus-unig â brithyll ar ben Eferest fel y safai yn y fan honno â pharsel hirsgwar dan ei gesail, ond ymwrolodd, a symud gam neu ddau yn nes at y ddesg fahogani.

" Angelique Bonnet?"

" Half a mo' and I'll be right with you, suur."

Canai clychau'r cread a bu'n rhaid i'r gwallt melyn potel a'r ffrog ddu gythru i res o fotymau ar y panel trydan i sicrhau tawelwch i'r cwsmer.

" *You were saying, suur*?"

" Angelique Bonnet, *Commissaire Priseur, Galerie Covacappi. . .*?"

Tybiodd y Parchedig Edward Molyneux y byddai darn o'r adnod yn llawn digon i ferch ddeallus fel hon ond edrychai'r ben felen mor wag â llo gwlyb.

" Angelique Bonnet . . ." mentrodd eilwaith, ond daeth i'w feddwl mai ansawdd ei Ffrangeg oedd y maen tramgwydd; chwiliodd am y tamaid papur a'i sodro ar y cownter.

Gwir ei dybiaeth, oherwydd mewn ychydig eiliadau 'roedd y ffrog ddu wedi cwblhau'r trefniadau i gyd ac yntau'n esgyn yn esmwyth i'r pedwerydd llawr. Fe'i dadlwythwyd ar drothwy stafelloedd 109 ac fel wrth reddf agorodd y drws.

" A *Monsieur* Molyneux, *bon accueil*, croeso calon. Dowch i mewn fy nghariad i."

Gwelodd Molyneux mai gwraig oedd yr arbenigwr wedi'r cwbl a geneth ifanc iawn yn ôl pob golwg. Tamaid eitha deniadol hefyd oddi tan yr ofarôl a'r menyg rwber. 'Roedd hi'n ei groesawu o â breichiau agored.

" Gafwyd siwrnai hwylus *Monsieur* Molyneux? Ond hwyrach y dylwn eich galw chi yn *Mon Père*. 'Steddwch, siwgwr."

Rhag bradychu ei anwybodaeth dywedodd Edward Molyneux y câi hi ei alw wrth yr enw a fynnai, cyn belled a'i fod o yn un parchus.

" 'Rydach chi'n garedig *mon petit lapin,*" meddai'r angyles fwyn. " Cewch chithau fy ngalw innau yn

Angelique.   Dyna fydd Victór yn fy ngalw i—os na fydd
o'n medru meddwl am enw gwaeth!"

Chwarddodd Angelique Bonnet yn galonnog i'w
ryfeddu a chydag ymdrech ymunodd Edward Molyneux
yn yr hwyl.   Wedi syllu ar y blodyn pen coch o Baris
'roedd o'n fwy amheus o amcanion Vic Jones nag erioed.

" 'Rydach chi'n adnabod Victór yn dda, wrth gwrs?"

Nodiodd y Parchedig ei ben i ddynodi pa mor dda yr
oedd yn ei adnabod.

Wedi eistedd i lawr yn y gadair croen morlo, ac wedi
i Angelique wlychu ei big â gwydriad o win coch â blas
tân arno, daeth Edward Molyneux i deimlo'n fwy rhydd
o lawer ac aeth ati i adrodd ychydig o hanes ei fywyd.
Gwelodd yn fuan nad oedd gan Meistres Bonnet fawr o
ddiddordeb yn ei yrfa ysbrydol a'i bod hi'n fwy awyddus
o dipyn i lywio'r sgwrs i gyfeiriad y Bianco.   Holodd sut
daith a gafodd y darlun, yn union fel petai'r mymryn parsel
yn fod dynol, a sylweddolodd Edward Molyneux mai dar-
luniau ac nid pobl oedd ystyriaeth gyntaf y *Commissaire
Priseur*.   "Fyddai hon yn dda i ddim fel gwraig fferm,"
meddai Molyneux wrtho'i hun.

I gadw'r sgwrs i gicio aeth ymlaen i egluro fel y bu
bron i Deliago Bianco gael profedigaeth chwerw hanner
y ffordd rhwng yr Amwythig ac Euston.   "Wyddoch chi,
Angelique—gobeithio mod i'n deud ych enw chi yn iawn
hefyd—mi ddaeth 'na glamp o ddynes i mewn i'r com-
partment a bygwth eistedd ar Bianco druan.   Wel, 'roedd
hi'n bymtheg stôn os oedd hi'n bwys.   A dyma finnau yn
fy mraw yn gweiddi, ' Peidiwch ag eistedd ar hwn'na,
bendith y tad i chi!'   Ond y cwbl ddywedodd yr hen
wraig oedd, ' Machgen i, 'rydw i wedi eistedd ar hwn ers

hanner can mlynedd ne' well a mi wna i hynny eto, heb ych caniatâd chi'."

Chwarddodd Angelique Bonnet gymaint â'r plisman hwnnw yn y cae meri-go-rownd ond trwy 'i dagrau holodd yn bryderus,

"Ond chafodd y darlun ddim niwed, gobeithio, cariad?"

"Na, mi neidis i'r adwy mewn pryd," atebodd Molyneux. "Dyma fo'n ddiogel i chi Angelique."

"Ga i ddatod y parsel, *Monsieur* Molyneux, siwgr?"

"Siŵr iawn, siŵr iawn. Datodwch o ar ei union."

Wedi cael llun y gath i'w breichiau gwnaeth y ferch o Baris bopeth ond ei lyfu. (Deallodd Molyneux iddi wneud hynny mewn ystafell arall, ychydig yn ddiweddarach.) Ei ddal hyd braich, ei droi â'i ben i lawr, bod drwyn yn drwyn â'r gath, archwilio'r canfas, ac yna ei gario'n ofalus at y ffenestr.

"Mae 'na ôl brwsh Deliago Bianco ar y llun hwn yn sicr," meddai Angelique yn gynhyrfus. "Mi faswn i'n adnabod 'i steil o â mwgwd am fy llygaid."

Neidiodd y Parchedig i'w het a pharatoi i ymadael.

"Hanner munud, cariad. 'Rydach chi fel cath mewn padell boeth. Mi fydd yn rhaid i mi wneud amryw o brofion cyn y bydda i'n hollol siŵr. Troi pob carreg, *faire des épreuves.*"

"O?" yn siomedig.

"Dowch mi awn ni i stafell y pelydr X i gychwyn."

Cythrodd Molyneux i'w het am yr eildro. Oedd y *Commissaire Priseur* yn methu?

"'Rydw i'n teimlo'n iawn Angelique, diolch. Newydd gael archwiliad fel mae'n digwydd. Y llun—llun Bianco sy' dan sylw, nid yr hen gorff."

" A, mi wn i hynny, prydferth. Y llun sydd ar fy meddwl inna'. Dowch *Monsieur* Molyneux. Mi awn ni trwodd i'r stafell nesa'," a chydiodd Angelique yn dyner ym mraich y ficer a'i arwain gam a cham i stafell lawer mwy.

Wedi cyrraedd y labordy agorodd llygaid y Parchedig Edward Molyneux yn fwy a mwy, nes eu bod nhw yn y diwedd gymaint â hen geiniogau. 'Roedd yna boteli a goleuadau, llyfrau a pheiriannau, meicroscopau a rhes hir o ddyfeisiadau modern eraill.

" Be, ffariar ydach chi Angelique? Ta . . . ta dyn deud y tywydd?"

" Na, na, na," yn siarp, " *calmez-vous* nid trafod anifeiliaid ydy ngwaith i, ar wahân i rai fel Victór a chi â dwy goes ganddyn nhw, ond gwneud profion i weld ydy darluniau yn ddilys ai peidio. Help llaw ydy'r goleuadau a'r peiriannau 'ma welwch chi, ac mi gymer hi rai oriau cyn y byddai'n hollol siŵr o'ch llun chi."

" Oriau?" holodd y person yn bryderus. " Ond 'rydw i wedi addo i mam y byddwn i adre cyn i'r dyn llefrith gyrraedd."

" Wel, wel, y cyw bach yn poeni am ei *maman*," a gwnaeth Angelique Bonnet sŵn bwydo ieir, a chosi gên y person â'i bys ryber. " Ylwch siwgr, ewch chi trwodd i'r lolfa, y stafell sydd drwy'r drws acw ar y dde. Mae 'na ddigon o hen gylchgronau yn y rac ac mi . . . mi drefna i, i staff y gwesty i ddod â the ysgafn i chi o hyn i ben yr awr. Wel, *ewch* i'r lolfa, blodyn," wrth weld y Parchedig yn dal i sefyll yn 'i unfan fel llong hwylia heb wynt.

Yn y lolfa treiglai amser yn araf. Cydiodd Molyneux yn y cylchgronau fesul un a'u gollwng yn ôl i'r rac yr un mor sydyn. Dratio na fyddai o wedi gwneud mwy o hafoc ar ei Ffrangeg yn hogyn ysgol. 'Roedd y rhain yn siŵr o fod yn eitha diddorol hefyd, yn enwedig yr un yn dwyn yr enw *Elle*. Daeth y *L'art* i'r golwg a daliodd hwnnw yn ei ddwylo yn hwy na'r gweddill. Diau bod y darluniau hyn hefyd yn gampweithiau byw, ond allai dyn fyth â bod yn siŵr a oedd llun â'i ben i fyny ynteu oedd o â'i ben i lawr."

Cyn hir daeth y te ysgafn i fyny o berfeddion y gegin, yn gynt na'r disgwyliad, ac yn ei ddilyn pen melyn potel arall â ffrog goch y tro hwn. 'Roedd hi mor gyforiog o gwestiynau â ffurflen y Dreth Incwm.

" *Tea or coffee, suur? White, suur? Do you take sugar, suur?*"

Ymhen hir a hwyr dychwelodd y *Commissaire Priseur* i'r lolfa a'r tro hwn 'roedd hi'n ddwylo i gyd. Ar y cip cyntaf darganfu Angelique fod y llun yn Bianco gwreiddiol, yn un o gyn-drysorau teulu brenhinol Sbaen ac yn werth pedwar ugain mil a rhagor, ond 'roedd yn rhaid iddi gadw'i haddewid i Victór neu bod heb y '*spondolings*' chwedl yntau. Bu'r egwyl yn y labordy yn gyfle i gribinio esgusion at ei gilydd.

Â'r dwylo'n troi fel melin wynt, " *Monsieur* Molyneux, cariad, *des nouvelles tristes*—newyddion trist! Siom fawr i chi a siom fawr i fyd celfyddyd yn gyffredinol. Mae hi'n ddydd tywyll yn ein hanes ni, blodyn, ond rhaid i ni fod yn ddewr." 'Roedd Angelique Bonnet yn floesg a llwyddodd i sychu deigryn neu ddau â chefn y faneg rwber.

Yn ystod yr eiliadau cofiadwy hynny gwelodd y Parchedig Edward Molyneux bopeth y bu'n byw er eu mwyn ers wyth mlynedd neu ragor yn cerdded heibio o flaen ei lygaid—y Felin a Laura Elin, y tyddyn dwy acer a buwch, Hywal, hen eglwys Sant Dyfrig, y cyn-esgob a'r

llyfr banc. Dechreuodd y felin wynt, nid un Laura Elin
felly, droi drachefn.

"*Monsieur* Molyneux, faint wyddoch chi am artist fel
Deliago Bianco?   Yn onest, 'rŵan?"

"'Ro'n i'n meddwl mod i'n gwybod llawer mwy nag
ydw i," yn doredig.

Estynnodd Angelique damaid o hances bapur, fel y
gallai y Parchedig arllwys ei deimladau heb ofni gwlychu
y carped lliw hufen.

"Wel, 'rydan ni i gyd yn dysgu, siwgr.   Artist mawr
oedd Bianco ac felly gŵr pwdlyd i'r eitha. *Le grand bébé*,
hen fabi mawr weithia yn lluchio paent am ben ei ddis-
gyblion a'r tro arall yn gorffen eu gwaith trostynt. Un o'r
rheiny ydy hwn.

"Y?"

"Darlun *felly* ydy hwn. Rhowch ffrwyn i'ch teimladau,
cariad, a pheidiwch â llyncu'ch poeri fel 'na. Mae o'n
gneud drwg i'ch cyfansoddiad chi." Hyn i gyd wrth weld
y Parchedig Edward Molyneux siomedig yn gwneud
ymdrech lew i fod yn ddyn.

"Ond sut y gwyddoch chi hyn i gyd? All neb fod yn
siŵr. Mi all. . . ."

"A, cariad, ma'ch teimladau chi 'rŵan yn ffrwyno'ch
synnwyr chi. Ma'r *commissaire priseur*, fy mlodyn gwyn
i, *bob* amser yn siŵr. Ma'n wir i mi wneud dadansoddiad
cemegol o'r defnyddiau a'r *patina* a phrofi dim. Profi mewn
gwirionedd ma' dyma'r defnyddiau a ddefnyddid yn
nyddiau Bianco a bod y llun felly fwy na thebyg yn un
gwreiddiol."

Fel y bardd gynt a welodd y gwcw honno sychodd
Molyneux yntau ei lygaid a dechrau dweud yn galonnog,
"Ac mi 'rydach chi'n deud felly fod y llun yn wreiddiol,
wedi'r cwbwl? Wel, haleliwia!"

"Ara deg, siwgr. Cymerwch bwyll. *Patience.*
'Rydach chi'n camu yn llawer rhy fras, *Monsieur* Molyneux.
Pwyll, fy siwgr i. Ydy hances bapur Angelique yn ych
llaw chi yn barod?"

Dangosodd Molyneux y tamaid hances iddi.

"Nid dadansoddiad cemegol ond yr *infra-red* a'r pelydr
X ddaeth â'r twyll i olau dydd, a sigo ein hysbrydoedd
ninnau yr un pryd. Mi welais i ar y ffilm, *Monsieur*
Molyneux ôl *dwy* law, llyfiad *dau* frwsh a steil *dau* artist."

Erbyn hyn 'roedd pen y person yn guddiedig ym
mhlygion yr hances bapur ond, â'i law chwith, rhoddodd
arwydd i'r *Commissaire Priseur* brysuro â'i stori a mynegi'r
gwaethaf.

"O wel," meddai Angelique yn bur, "ar ych cais
caredig chi mi a i ymlaen â'r hanes. Mi ddylai ych
crefydd chi fod yn ddigon i'ch cynnal chi yn awr ych
colled."

Nodiodd Molyneux ei ben yn ddwys.

"*Monsieur* Molyneux, un o ddisgyblion Bianco a
beintiodd lun y gath a'r bellen edafedd ac o bosib' y lleiaf
o'i ddisgyblion i gyd. Y cyfan wnaeth Bianco fawr oedd
rhoi brwshiad neu ddau i orffen y gwaith a sgriblio'i enw
ar y gwaelod. Yn 'i hwyliau gorau mi fyddai'n gwneud
hynny i helpu disgybl tlawd i gael cwsmer i'w waith. Mi
allasai'r llun fod yn werth canmil neu ragor petai Bianco
wedi cymryd rhagor o ran yn y peintio."

Cododd Molyneux 'i ben o'r hances bapur yn union fel
y bydd ceffyl yn codi'i ben o'i feinjar, dim ond i'w gladdu
yn ôl yn yr hances drachefn.

"Ond fel y mae o, tydy'r llun yn werth fawr ddim,
siwgr. Cofiwch *Monsieur* Molyneux mae 'na ffrâm dda
amdano fo ac ma' honno yn werth punt neu ddwy. A . . .

a ph'nawn da i chi, *mon chéri*.   Mae'n rhaid i mi brysuro
ymlaen gyda'm gwaith."

Gŵr heb lygaid i neb na dim a ddaethai yn ôl yn y
trên o Paddington i Ben Llŷn y noson honno, ac edrychai
yn debycach i fwci ar fin riteirio nag i berson gwlad yn
hwylio'r canol oed. Nythai'n surbychaidd yng nghornel
ei sedd heb y llawenydd hwnnw sy'n eiddo i rai a deith-
ia o ddinas i ddinas ar y Rheilffyrdd Prydeinig.

Ond gŵr gwahanol iawn iddo a garthai dan y cathod
yn Picton Hall, Little-Mallet-cum-Picton, gŵr amlwg-
ddedwydd er gwaethaf y dasg anhyfryd a'i hwynebai.
'Roedd yr Isgapten Victor Jones newydd dderbyn teligram
hyd-cofiwch-wraig-Lot, ond yn mynegi cyfrolau.

"MISSION COMPLETED STOP SPONDOLINGS
REQUESTED STOP ANGELIQUE."

17

Llusgodd John Ŵan ei gorpws briwedig o ddrws cefn y
Felin i gyfeiriad y beic parseli coch, a led-orweddai ar
glawdd yr ardd ffrynt.

"Y cymala yn dal yn fynafus, John Ŵan?"

"Yn fynafus reit, hogan. 'Rydw i'n dal i ga'l traffarth
fawr i wthio un goes heibio'r llall, heb regi. ' *Sense of
duty*,' dyna sy'n fy ngyrru i yn fy mlaen o ddydd i ddydd.
'Taswn i flewyn fengach mi awn i â'r achos ymlaen i'r
' *High Court*,' a gofyn i'r awdurdodau roi Nefoedd y Niwl
'na mewn cyffion. Dim rheswm yn y peth. Lluchio dyn,
a hwnnw'n glarc i'r cyngor plwy o'i union sefyll ar 'i
dîn i'r doman dail. Mi 'llaswn i fod wedi torri fy nwy
lengid mor hawdd â dim." A chydag ochenaid neu ddwy
eisteddodd y Car Post ar glawdd isel yr ardd ffrynt i gael
ei wynt ato.

"'Dydach chi ddim i weld yn galw yn y Nefoedd mor
amal ag y byddach chi, Laura Elin, nac yn nhŷ y person
o ran hynny?" Dechreuodd John Ŵan bryfocio. "Be sy?
Oes 'na ryw awelon newydd yn chwythu ar y Felin 'ma?"

"Matar i mi ydy hynny, John Ŵan," mewn tôn a aw-
grymai yr hoffai hi i'r Car Post barhau ei ymchwiliadau.
"Ma' Hywal a finna yn ddigon amddifad fel y gwyddoch
chi, yn ddigon amddifad byth."

Gydag ymdrech llwyddodd y postman i danio matsen
ar bedol ei esgid ac yna i danio ei sigaret.

"'Ro'dd Meiji Jên y Post yn deud fod 'na gynnydd yn
y mêl yr wythnosa dwytha 'ma."

"O, felly."

Anghofiodd John Ŵan ei gymalau dolurus a neidiodd
ar gefn ei geffyl.

" Oedd yn diar. Tena gynddeiriog fydda mêl y Felin
tan yn ddiweddar. Amball i gatlog ffrogia' ha', a hen
gopïa o'r *Haul* a'r *Gangell* a cherdyn neu ddau ar 'Ddolig,
dyna'r cwbwl—ond 'rydw i ers dyddiau yn fy ngwaith yn
cario parseli a llythyra' yma. Ac mi 'rydw i heb edrach
yn sylwi ma' o'r un fan ma' nhw i gyd yn cychwyn. Be
ma'r dail te yn 'i ddeud Laura Elin?"

Ers dyddiau lawer bu Laura Elin o'r Felin yn ysu am
gael rhannu ei phrofiadau newydd â'r gymdeithas o'i
chwmpas, ac o'r diwedd dyma'r cyfle wedi dod a John
Ŵan eisoes wedi rhoi arweiniad i'r maes llafur. Diau fod
postman lleol a chlarc y cyngor plwy yn well na dim
cynulleidfa o gwbl.

" Hwyrach na fydd hi ddim yn rhaid i chi alw yn y
Felin 'ma yn hir, John Ŵan."

Yn ei fraw sythodd y Car Post i'w lawn faint, a hynny
heb gofio am y cric yn ei feingefn.

" Drapia'r boen 'ma. Ma'n ddrwg gin i, Laura Elin,
glywed nag ydach chi ddim yn teimlo gant y cant."

" Be 'dach chi'n feddwl?"

" Wel, ych clywad chi'n deud na fyddwch chi ddim
yma yn hir 'ro'n i."

Chwarddodd Laura Elin gan bwyso'n drwm ar gil-bost
y drws a dechrau cosi'i chefn.

" 'Rydach chi'n camddeall, John Ŵan. Nid meddwl
am 'y niwadd 'ro'n i ond awgrymu'n gynnil i chi na fydd
dim rhaid i chi drotian i fyny i'r Felin 'ma yn hir." A
dechreuodd Laura Elin biffian chwerthin fel geneth ysgol
yn dechrau tyfu. " John Ŵan ma' 'na ryw sôn mod i'n
mynd i newid byd."

" P'run o'r. . . ?"

" Na, nid Nefoedd y Niwl, na'r person o ran hynny, ond 'sgodyn mwy na'r ddau rheiny hefo'i gilydd. Morfil o sgodyn, John Ŵan, morfil mawr."

Erbyn hyn 'roedd clustiau'r postman, yn llythrennol, fel rhai eliffant ar wres, yn cau ac yn agor.

" Os nag ydy Hywal 'ma o fewn clyw, ac os dewch chi gam yn nes, ac os addwch chi beidio â deud gair wrth undyn byw, mi ddeuda i chwanag wrtha chi."

Er gwaethaf ei styffni cerddodd y postman yn hoyw ddigon at lidiart yr ardd a daeth Laura Elin yno i'w gyfarfod, nes 'roedd y ddau fel pâr o glomennod big ym mhig.

" John Ŵan," gan bwnio'r postman hanner y ffordd rhwng y bag llythyrau a'i gesail. " John Ŵan y Car Post, mi 'rydw i yn mynd i ga'l gŵr. Wir i chi!"

" Ond Laura annwyl, 'rydach chi'n d'rogan hynny ers pobeidia. 'Dwy'n cofio ar ddechra'r rhyfal y. . . ."

" Na, yn wir i chi. 'Dach chi'n cofio'r canon oedd yma yn yr ŵyl bregethu, ac yn traethu mor ardderchog am Noa a'i arch?"

" Clipar o 'gethwr os buo 'na un erioed. ' *Very concise* '."

" Y?"

" Yn fyr ac i bwrpas."

" Dyna fo. Mi aethoch â'r geiria o 'ngheg i. Wel, ma' gin y dyn hwnnw, y canon 'ma, blas mawr tua Lloegr 'na ac mae o. . . ."

Torrodd John Ŵan ar ei thraws.

" Cofiwch, Wesla o'n i cyn priodi ond mi 'ro'n i wedi arfar meddwl 'rioed ma' mewn vicrej ma' canons a phetha felly'n byw. Sut ma' gin hwn blas? Raid bod gynno fo ' *private means* '."

" Y?"

"Raid bod gynno fo lawer o arian."

"'Dach chi wedi taro'r hoelan ar 'i phen eto, John
Ŵan. Ma' o'n werth 'i filoedd. Yn fwy o werth o lawar
na'r Jeremeia Hughes 'ma sy'n Nefoedd y Niwl."

"Twt, 'do's gin hwnnw ddim dwy geiniog i rwbio yn
erbyn 'i gilydd—ne' dyna ma'r goets fawr yn i ddeud beth
bynnag," a rhwbiodd John Ŵan ei forddwyd chwith wrth
gofio am y godwm.

"Wel, ma' Canon Jones, fel 'roedd o'n ca'l 'i alw," a
dechreuodd Laura Elin biffian yn enethig unwaith yn
rhagor wrth feddwl am Vic Jones yn ganon. "Mae o'n
hen ffrind i mi, ac 'ro'n i'n 'i nabod o ymhell cyn iddo fo
ddod yma i bregethu i ni."

"O?"

"Hen ffrind o ddyddiau'r *Waffs* 'stalwm. Dyddia braf
oedd y rheiny."

"O?" arall oddi wrth y postman ond gyda llawer mwy
o awgrym yn perthyn iddi.

"Ac wyddoch chi be, John Ŵan, ma' 'na dân wedi i
gynna' ar yr hen aelwyd. Y fo sy'n anfon y parseli mawr
a'r llythyra ogla sent 'ma i mi."

"'Ro'n i wedi ryw fudur ama oddi wrth y postmarc.
Lle yn Lloegar hefyd mae o'n byw?" holodd John Ŵan.

"'Dwn i ar y ddaear," meddai Laura Elin yn ddigon
cigronllyd, am i'r postman feiddio torri ar rediad yr epig.
"Mi wn i, 'i fod o'n llawar pellach na Llanrwst ond yn
dipyn nes yma na Llundan."

"Tua'r gororau os ydw i'n cofio yn iawn," meddai'r
postman wedyn. Sgubodd Laura Elin y manylion a phara-
toi ar ben-llanw'r stori.

"Ac wyddoch chi be, John Ŵan?" (y cymal hwn am y
pedwerydd tro o fewn naw munud), "mae o wedi gofyn

am fy llaw i mewn priodas." Gostyngodd ei llais i lefel sibrwd. "Ac wedi gofyn i Hywal a finna fynd yno i fyw ato fo i'r plas."

Wedi edrych o'i chwmpas a gweld nad oedd Hywal, fel y tybiai hi, o fewn clyw, cododd ei llais drachefn.

"Ma' Canon Jones yn awyddus, medda fo, i Hywal y mab 'ma i fynd i mewn i ryw fusnes magu cathod sy' gynno fo, ac echdoe mi anfonodd wn go iawn yn bresant iddo fo, a chamra tynnu llunia."

Wrth feddwl am blwy Sant Dyfrig yn cael gwared â Hywal, yn enwedig Hywal â gwn a chamra ganddo, a hynny heb ei ddienyddio, aeth brwdfrydedd John Ŵan y Car Post yn drech na'i synnwyr cyffredin. Ymsythodd, a dweud yn uchel, "Mi fydd Hywal bach yn llawer hapusach tua Lloegar 'na, ac mi wyddom ni i gyd mor hoff ydy o o gathod. . . ."

Ni chafodd brin gyfle i orffen y frawddeg oherwydd fe flinodd Hywal y Felin ar nythu yn dawel rhwng brigau'r goeden gyll yn gwrando ar ddyn y Car Post yn llychwino ei gymeriad, a phenderfynodd ei bod hi'n amser i hwnnw gychwyn tua thref. Yn ofalus gosododd afal sur wedi hen grebachu rhwng gwefusau gwn newydd Yncl Vic, a thaniodd. Gwar John Ŵan oedd y man cyfarfod, a chan rym yr ergyd fe'i bwriwyd, gerfydd ei bedolau dros lidiart yr ardd i feddalwch y clwt tatw. Yr ail godwm o fewn llai na mis.

Gai ei bod hi heb weld na chlywed yr un ergyd ni wyddai Laura Elin beth ar y ddaear fawr oedd wedi digwydd. Ar y cychwyn tybiodd mai John Ŵan oedd yn dangos ei blu, yn union fel y bydd ceiliog ffesant yn ceisio ennill calon yr iâr.

" 'Tydach chi'n ystwyth fel welbon, John Ŵan. Wel, y syrcas ydy'ch lle chi ac nid yn cario'r post." Brathodd ei thafod. 'Roedd hi'n amlwg bellach nad oedd y post-man mewn tymer i gellwair â neb.

Gwyddai John Ŵan yn eitha da fys pwy fu ar y triger. Cododd yn araf ond yn sicr o wlybaniaeth y clwt tatw gan sythu ei ddwy droed ôl i gychwyn, yn union fel y bydd buwch yn codi ar ei heistedd, ac yna sychodd ei wasgod. Heb ddweud na bw na be cerddodd heibio i Laura Elin helbulus, drwy lidiart yr ardd, i gyfeiriad y beic parseli. Taflodd giledrychiad llew i frig y goeden gyll, ac wedi eiliad o bwyso ar glawdd yr ardd i ddod ato'i hun trodd gyrn y beic yn ôl i gyfeiriad y pentref a Thŷ'r Heddlu.

" Mi gewch ych parseli hefo'r ' *second delivery* '—wedi i Phillips a finna 'u harchwilio nhw rhag ofn fod 'na fom yn'yn nhw."

Gyda help y goriwaered ac ychydig o rym penderfyn-iad llwyddodd John Ŵan y Car Post i esgyn i'r cyfrwy, a chyn pen ychydig eiliadau 'roedd o wedi ei lyncu yn Nhrofa'r Celyn.

Wedi gweld fod y postman yn ddigon pell o sŵn wylofain a rhincian dannedd cerddodd Laura Elin yn frysiog dros drothwy'r Felin i chwilio am y gryfaf o'r ddwy wialen fedw. Yna, aeth ati i baratoi cinio iawn i *un*.

18

RHODDODD William Ifans y Clochydd eitha hergwd i'r drws derw gyda'i ysgwydd chwith ac agorodd hwnnw gyda gwich. Camodd allan yn frysiog dros drothwy'r eglwys, yn cael ei ddilyn gan y person.

"Hwyl 'rŵan, ficar, mi ddo i draw i gloi wedi i mi ga'l panad."

Safodd y Parchedig Edward Molyneux yn bennoeth wrth borth yr hen eglwys yn barod i'r gwaith anhyfryd o bympio, a dechreuodd y bagad addolwyr ddiferu allan fesul un ac un. "Pellaf o'r eglwys nesaf i baradwys," sibrydodd y person.

"Noswaith dda, Mrs. Wynne-Stanley. Falch o weld sedd y Plas dan ei sang unwaith yn rhagor."

"*I was just saying what a marvellous message, Vicyr! As usual*, fel arfer. A diolch i chi."

"Croeso i chi, gennod," wrth dair o lafnesi fu'n rhannu sedd y Plas.

"*Sie karm niet verstan, Vicyr*. Plant fy mrawd o Holland. . . ."

Tybiodd Molyneux iddo ddal yr ystyr wrth wylio'r ystum, a mentrodd,

"Ac felly i chitha, mhlant i, a llawer ohonyn nhw."

Chwarddodd Mrs. Wynne-Stanley, ond yn barchus.

"Y Cyrnol yn anfon 'i *apologies, Vicyr. So sorry*. Ma' hi'n *collection of rents within a month. He's under such pressure. Bye, bye, Vicyr*, a diolch."

Cerddodd Mrs. Wynne-Stanley yn ysgafndroed i gyfeiriad porth y fynwent a'r llancesi yn dilyn yn ôl ei thraed.

"Lle crafa'r iâr y piga'r cyw," sibrydodd y person.

E

" A Edward Lloyd, sut ydach chi?" Ond 'doedd Foel Griafolen ddim mor barod i bympio â gwraig y Plas.

" A sut ma' Mrs. Lloyd gynnoch chi, a'r meibion?"

" Yn burion, Ficar." Ciledrychodd Edward Lloyd gydag ymyl y porth i wneud yn siŵr fod y setiad gyntaf wedi llwyr glirio.

" Dda gin i mo hen betha'r Plas 'na hefo ryw how-di-dw fawr yn Saesnag. Ond dyna fo, ella mod inna'n rhyfygu yn deud peth fel'na dan gysgod cloch yr eglwys. Be ddeudwch chi, Ficar?"

Yn ffodus i'r person daeth Meiji Jên y Post a chwaer i'w chwaer-yng-nghyfraith i sathru ar sodlau gŵr Foel Griafolen a diflannodd hwnnw, a chafodd yntau osgoi edrych ar y brycheuyn yn llygad ei chwaer o'r Plas.

Fel arfer 'roedd Meiji Jên yn glafoeri o ganmoliaethau, ac yng nghanol cawodydd trymion o ' ardderchog ' a ' bendigedig ' bu'n rhaid i'r Parchedig Edward Molyneux fodloni ar ateb yn unsill.

" *Slumberland*?"

" O clywch eto, Hafina," meddai Meiji Jên gan esgus bod yn ddig.

" O *Sunderland* ma' Hefina yn dwad ac nid o *Slumberland*. Fuo neb tebyg i'r ficar 'ma am dynnu coes ond mae o yn bregethwr bendigedig."

" 'Dydy'r ffaith mod i wedi cau fy llygaid am foment yn ystod y ' *sermonette* ' ddim yn deud mod i wedi cysgu," meddai'r ferch o Sunderland yn denau. Roedd hi'n amlwg fod Hafina yn cleisio yn llawer haws na chwaer ei chwaer-yng-nghyfraith.

Fel y miniogai'r awel symudodd yr osgordd gam neu ddau ymlaen, ond bu'n rhaid i Meiji Jên gael rhoi un bilsen i'r person cyn gwahanu.

" 'Doedd Miss Williams y Felin ddim yma heno eto, Mr. Molyneux. Mi glywsoch *chi* mae'n debyg fod hi, a'r bychan sy gynni hi, yn symud i Loegar cyn bo hir."

Nodiodd y Parchedig Molyneux ei ben yn flinedig a throi tua'r eglwys. Tynnodd ei wenwisg yn dynnach amdano a brysiodd i lawr ale'r eglwys i gyfeiriad y festri a'r ystafell newid. Fel 'roedd o yn gyrru heibio i sedd y Plas cododd pen cringoch yn union yn ei lwybr, a bu'n rhaid i'r person ddewis rhwng sbonc llyffant frysiog neu fesur ei hyd ar y llawr. Yn naturiol, penderfynodd ar y sbonc llyffant.

" Hywal Williams, pam gynllwyn nad ewch adra 'run pryd â phawb arall yn lle snecian rhwng y seti fel hyn? 'Da'ch chi'n gythraul mewn croen os y buo yna un erioed." 'Doedd dim pwynt mewn ymatal yn hwy.

" Langwej, Ficar," rhybuddiodd Hywal yn hen-ffasiwn a pharatoi i gychwyn. " Cofiwch lle ydach chi."

Bu'n rhaid derbyn y cerydd yn yr un ysbryd ag y traddodwyd o. " Hywal, ngwas i, wn i cystal â chitha fel ma' Mrs. Wynne-Stanley, bendith ar ei phen hi, yn tueddu i ollwng clapia o fint a darna deg ceiniog yn ystod y bregeth, ond cofiwch chi mai at yr offrwm mae'r arian yna i fynd. Wrth gwrs, croeso i chi ar y clapia mint *os* y dowch chi o hyd iddyn nhw." (Bu Molyneux yn blasu'r melysion ei hunan o dro i dro a'u cael yn gaffaeliad mawr i gerdded adref ar noson oer.)

" 'Rydw i newydd roi dau bishyn deg ceiniog ar y plât yn barod, Mr. Molyneux."

" Mi fydd hi'n ddigon hawdd profi hynny mewn eiliad neu ddau. Mae hi'n ddigon hawdd nabod deg ceinioga ynghanol llwyth o gopars." A gwelodd Hywal y Felin ei gamgymeriad. Brysiodd i newid y stori.

" Mr. Molyneux, ma' Mam a fi yn mynd i fyw i blas mawr, crand, cyn bo hir."

" O."

" Wir yr i chi. Ac ma' Yncl Vic fi, y dyn bia'r plas, wedi gyrru lot a lot o bresanta i ni. 'Rydw i wedi ca'l camra tynnu llunia, a gwn go iawn, a bocs o soldiwrs, a spês-hopar, a ma' Mam wedi ca'l llythyrau ag ogla neis arnyn nhw."

" Hywal, mae'n well i chi gychwyn."

" Ac mi 'rydw i wedi tynnu peth wmbrath o betha hefo'r camra. Llun pobol, a llun yr eglwys 'ma, a llun. . . ."

" Felly wir. Mae'n dda iawn gen i glywed, Hywal, eich bod chi'n tynnu lluniau pethau da."

" Ac mi 'rydw i wedi tynnu llun Yncl Hughes yn Nefoedd y Niwl a llun John Ŵan Car Post yn. . . ."

" Mr. Owen y postman. Dyna ei enw priodol o."

" Mi 'rydw i wedi tynnu ych llun *chitha* hefyd."

" Hywal, rhaid i chi gychwyn. Ma'ch Mam, annwyl, yn hen ddisgwyl riport am y gwasanaeth mi wn."

Cychwynnodd Hywal yn anfoddog at ddrws yr eglwys ond yn ddiolchgar am iddo, unwaith yn rhagor, gael prowla yn sedd y Plas o flaen y person.

" Hywal."

" Be?"

" Ydy Mr. Phillips—Mr. Phillips y plisman wedi mynd adra?"

" Do. Mi gwelis i o'n sleifio fel byrglar drwy'r festri ac am y drws cefn."

" Fasach chi'n taro'r llyfr yma iddo fo ar ych ffordd adra? Mae o wedi gadal 'i lyfr miwsig ar ben yr organ." Ond yna cofiodd y person nad oedd mab y Felin a'r Cwnstabl Phillips yn bennaf ffrindiau ac ychwanegodd,

" Hidiwch befo, Hywal, mi adawa i'r llyfr yn fan yma, ac mi gaiff y cwnstabl alw amdano fo yn ystod yr wythnos."

Yn ddiolchgar, a hynny am yr eildro yr un noswaith, aeth y cringoch i'w ffordd.

" Naw union," meddai'r Parchedig Molyneux wrtho'i hun, a thynnu drws yr eglwys ar ei ôl. " Y cynulliad gora er Sul y Pasg."

Draw ar y rhos 'roedd gafr y gors yn brefu'n ddolefus yn y pellter cyn codi ar ei hadain. Bu'n Sul eitha bendithiol, a gallasai pethau fod yn llawer gwaeth. Dyna eglwys Llanfihangel Bachellaeth wedi cloi ei drws am byth ac eglwys Bodferin yr un modd.

Fel y cerddai Molyneux rhwng y cloddiau trwchus i gyfeiriad ei gartref sbonciodd ei feddwl o un peth i'r llall, fel cacwn yn ehedeg o flodyn i flodyn i chwilio am fêl. Croes go drom fyddai colli Laura Elin y Felin o'r plwy, yn arbennig o gofio ei bod hi'n mynd i ddwylo arall. Sut 'roedd y Salmydd wedi gosod y peth hefyd? O, 'roedd o wedi lled-amau fod 'na lin yn mygu pan ddarganfu'r ddau yn y festri big ym mhig, ar derfyn yr ŵyl bregethu. Pe gwyddai hynny yn gynt ni fyddai 'run o'i draed blinderus wedi teithio bob cam i Lundain i weld yr Angelique Bonnet felltith, ond dyna fo, fe ddysgodd lawer am fywyd yn ystod y siwrnai gofiadwy, gynhyrfus honno.

Lled-chwarddodd Edward Molyneux wrth feddwl amdano ei hun yn troi'n lleidr ar drothwy'r hanner cant. Fe gostiodd yr ymweliad cyntaf yn ddrud iddo. Cyhoeddiad i'r Annibynwyr o bawb, ac ar ben hynny, cil-dwrn gafaelgar i Elis Robaitsh at gronfa'r adeiladau. Pryd oedd y cyhoeddiad hefyd? O wel, fe roddai'r ddwy bregeth hwyaf o'r eiddo ben yn ben. Fe wnâi hynny y tro. Ond am yr ail ymweliad. Na, ni fyddai 1224 ei hunan wedi gwneud glannach gwaith. Taro Bianco yn ôl ar ei hoelen ym mharlwr gorau Nefoedd y Niwl gefn dydd golau, a hynny heb i neb ei weld. " Go dda, Ted," meddai'r Parchedig wrtho'i hun. " Go dda, Ted." Ymgroesodd. Rhaid gofalu peidio â gwneud arferiad o'r peth.

Wrth agor llidiart y Ficerdy sylwodd Molyneux ar y fflamau tân yn dawnsio ar bared y stydi, a llamodd ei galon o lawenydd gwir. 'Doedd dim yn well ganddo na thanllwyth o dân da ar nos Sul. Bendith ar ben Miss Sandra Violet Pringle am wneud tân. 'Roedd hi'n gaffael-iad mawr i'w fam weddw ac yntau, a'r ddwy yn cyd-dynnu fel petaen nhw'n gesig wedi eu magu yn yr un stabl. Daeth i'w glyw, yn ddiweddar, fod tylwyth y garafan yn paratoi i newid aelwyd cyn hir. " Dyrnaid o laswawr lwch ac arogl mwg lle bu," meddai'r bardd, ond yn ôl pob golwg byddai Bill Pringle a'i deulu yn debyg o adael mwy na llond dwrn o lwch ar eu hôl, ac arogl gwaeth nag arogl mwg hefyd. Ond 'roedd Violet Sandra yn wahanol rywfodd, ac yn werth ei phwysau mewn aur.

Agorodd ddrws y ffrynt a gwasgarwyd y meddyliau o hedd. " *Mister Molyneux, telephone. Urgent call, de'er.*" Brasgamodd y Ficer fel hydd nwyfus, pinshiad ifanc i'r howscipar newydd wrth basio, yna diflannu i gynhesrwydd y stydi. A chaewyd y drws!

19

GAN ei bod hi'n b'nawn Llun, ac yn b'nawn Llun braf, ymneilltuodd y Parchedig Edward Molyneux i glydwch y gwely crog yng ngwaelod yr ardd. Dyma un o'r ychydig gysuron daearol a sicrhaodd iddo'i hun ar ddechrau ei weinidogaeth—os gellir defnyddio'r gair ' daearol ' i ddis-grifio gwely crog—ac yn ystod amrywiol droeon yr yrfa bu'r gwely yn ddinas noddfa gysurus iddo ar fwy nag un achlysur. Dyna'r p'nawn Sadwrn hwnnw y galwodd yr Esgob i edrych amdano, yn fuan wedi geni Hywal y Felin. Ychydig a dybiai y tad ysbrydol y p'nawn hwnnw fod y mab y daeth i edrych amdano yn clwydo'n hapus rhwng dau bren afalau, ychydig lathenni oddi wrtho. Aeth wyth-nosau heibio cyn y gallodd yr Esgob drefnu ymweliad arall, ac erbyn hynny 'roedd y stori am Laura Elin o'r Felin yn gori allan wedi mynd i blith y pethau a fu. A dyna'r nos Iau dyngedfennol pan fu mor hurt â defnyddio crys isa' ei fam i lanhau'r lamp baraffîn, y gwely crog fu'r hafan deg y noson honno hefyd.

Yn rhyfedd iawn rhag cynddaredd y fam y bu'n rhaid iddo ffoi amlaf. Hi oedd gwreiddyn y drwg y p'nawn hwn, yn mynnu treulio'r ha' bach Mihangel nesa' yn aros mewn gwesty ar gyfer bwytawyr llysiau yn Bognor Regis ac yntau wedi meddwl yn siŵr cael treulio deuddydd yn merlota yn Llandrindod—' merlota ' yn ystyr orau'r gair felly. Ond rhywfodd 'doedd hen wraig ei fam, na Laura Elin nac achos yr Annibynwyr yn ddim cymaint o feichiau ag y buont. Bellach clywid clepiadau soniarus esgidiau brôg Violet Sandra Pringle ar lawr cegin y Ficerdy, ac 'roedd hynny ynddo ei hun yn ysgafnhau beichiau trymion os nad yn hanner symud mynyddoedd. O feddwl am yr

howscipar newydd, os dyna'r gair priodol, ymlaciodd y
ficer yn wyrthiol ac o dipyn i beth syrthiodd i gwsg trwm.

Deffrodd y Parchedig Edward Molyneux yn sydyn a
thybiodd ar y dechrau ei fod yn y nefolion leoedd a bod
rhyw angel neu'i gilydd yn galw'i enw, ond buan y syl-
weddolodd na fyddai neb o'r angylion yn debyg o'i gyfarch
fel " *Mister Molyneux, de'er."* Edrychodd yn ddryslyd
dros gwr y gwely. Miss Pringle oedd yno gyda neges i'w
chyflwyno. Bu cloch y teliffon yn canu tra bu'r cyfaill
Molyneux yn cysgu ac 'roedd gwŷs oddi wrth y Cwnstabl
Phillips, heddwas y plwy, i ymddangos yng Ngorsaf yr
Heddlu ar fyrder. Ar fyrder.

" A dyna'r cyfan?" holodd Molyneux yn ddibryder.
" Dim arall?'

" Dyna'r cyfan, prydferth," atebodd Violet. " Dim arall,
prydferth."

Wedi twtio ychydig ar ei ymddangosiad a dewis
emynau at wasanaethau'r Sul, gan mai dyna fyddai cais
Phillips fel rheol, cerddodd y Parchedig Molyneux yn
ysgafndroed i gyfeiriad Gorsaf yr Heddlu. Rhyfedd hefyd
i Phillips wneud cais am yr emynau ar b'nawn Llun. Ond
dyna fo, 'roedd y dirywiad yn yr organ yn peri fod yna fwy
o waith ymarfer bob wythnos, ac 'roedd yn rhaid i blisman
gwlad gael rhyw orchwyl i'w gadw allan o garchar.
Chwarddodd Molyneux yn uchel wrth feddwl am Harold
Phillips a'i ben rhwng barrau carchar. O wel, gallasai yntau
fod wedi cael ei wthio tu ôl i ddrysau cloëdig petai dam-
wain wedi digwydd i lun Deliago Bianco ond, diolch i'r
drefn, 'roedd y gath yn ôl yn ddiogel ar bared y parlwr
gorau yn Nefoedd y Niwl.

Fel 'roedd hi'n digwydd 'doedd y gath ddim yn hongian
ar bared parlwr gorau Nefoedd y Niwl oherwydd, cyn

gynted ag yr agorodd Edward Molyneux ddrws gwydr
Gorsaf yr Heddlu, fe'i gwelodd yn gorwedd yn dawel ar
gownter yr ystafell aros. Heb wneud dim mwy na
chwerthin ar y cyd-ddigwyddiad hapus cyfarthodd yn
uchel, yn ôl ei arfer,

" Y Cwnstabl Phillips, deg o emynau canadwy mewn da
bryd at y Sul." Ychwanegodd, " Ydy plismon y plwy ddim
dan y blanced ar b'nawn mor braf?"

Agorodd ddrws yr ystafell breifat a sylwodd Molyneux
naill ai fod Phillips wedi cael cwrs cofiadwy o gamdreuliad
neu ei fod o wedi colli ei unig het. Edrychai yn welw a
difrifol.

Yn wahanol i'r plismyn a geir mewn nofelau, cyfan-
soddiad ysgafn oedd y Cwnstabl Harold Phillips, yn fain
a thal fel mast Blaenplwy, ac yn berchennog ar y llais
tebyca 'rioed i lygoden wedi cael annwyd. (Yn Eisteddfod
Llangollen unwaith cafodd eitha cwrbins gan soprano
dywyll o Afganistân a dybiodd ei bod hi'n cael ei dynwared
ganddo.) Heddiw, fodd bynnag, 'roedd ei lais yn groyw,
os yn wan.

" Fe ga i yr emynau yn nes ymlaen ar yr wythnos, *os*
bydd eu hangen nhw arnom ni. 'Dydi moli ddim yn beth
hawdd ymhob amgylchiad. Dowch trwodd, Mr. Molyneux."

'Roedd yno bedwar arall, yr un mor welw â Phillips,
yn swatio o gwmpas bwrdd crwn fel cywion mewn cwt
magu.

" Ecshibit nymbar wan," gwichiodd Phillips, a daeth
mymryn o gadlanc i olau dydd a chath Bianco yn llond ei
freichiau. Rhoddwyd pws i orwedd ar ganol y bwrdd
crwn.

" Pwy ohonoch chi sydd wedi gweld y darlun yma o'r
blaen?" holodd y cwnstabl.

" Y fi," atebodd J. R. Jeremeia Hughes yn fyrbwyll, heb
gofio mai ef oedd i erlyn. 'Doedd gan Harold Phillips
ddim amser i ddoniolwch gwan.

" Mi wyddom ni hynny, Mr. Hughes, *heb* i chi ddeud.
Os y cofiwch chi, chi ddaeth â'r llun yma a *chi* sy'n dwyn
yr achos hwn gerbron. Oes 'na un *arall* ohonoch chi, ar
wahân i Mr. Jeremeia Hughes, 'ma, wedi gweld y llun
hwn o'r blaen?"

Yr ieuengaf o'r cwmni a atebodd yn ail. " 'Dw i 'te
wedi 'i weld o o'r blaen. 'Dwy i wedi 'i weld o lot a lot
o weithia."

" Hywel Williams, pryd a lle y gwelsoch chi o am y tro
cyntaf? A pheidiwch â phigo eich trwyn os gwelwch
chi'n dda. Gorchymyn ydy'r ail sylw yna, ac nid cais."

" Reit," sibrydodd Hywal yn fwy gostyngedig nag arfer
gan chwilio ym mhoced ei drowsus am ddarn o hances.
" Mi welis i y llun am y tro cynta un yn gorfadd ar gefn
Yncl Hughes fi, a Mam wedyn yn gorfadd ar gefn Yncl
Hughes."

Hanner-cododd Molyneux ar ei draed a bygwth
pregethu, " Mae safonau m. . . ."

" Eisteddwch i lawr, Mr. Molyneux, nes bydd galw
arnoch chi i ddeud gair. Mae 'na le i foesoli ond y gyf-
raith, a'r gyfraith yn unig sy'n cyfri yn y fan hon y p'nawn
heddiw."

Rhythodd y person fel buwch newydd eni dau lo. Ai
hwn oedd y Cwnstabl Harold Phillips a lusgai'r nodau
pêr, a rhai ddim mor bêr, o berfedd yr organ yn eglwys
Sant Dyfrig? Ai hwn oedd y plismon cefn gwlad na
ddaeth ag achos gerbron y llys ers pymtheng mlynedd?

" John Owen, welsoch chi y llun hwn o'r blaen? A
chofiwch ych bod chi yma yn enw'r Cyngor Plwy a'r
Llywodraeth."

" Na, welis mo'r llun 'rioed o'r blaen, Phillips. . . ."

" Y Cwnstabl Phillips, os gwelwch chi'n dda."

" Na welis i mohono fo 'rioed o'r blaen C . . . Cwnstabl Phillips, ond mi glywis amdano fo. . . ."

" Mae clywed a gweld yn ddau beth gwahanol i'w gilydd John Owen. Beth amdanoch chi, Mr. Elis Robaitsh? Ydach chi wedi gweld y llun hwn erioed o'r blaen?"

" Wel do, a naddo."

Brathodd y person ei wefus. Gobeithio y byddai ei rodd at gronfa'r adeiladau yn dal dŵr ar awr fel hon.

" Do *neu* naddo, Mr. Robaitsh."

" Wel gan ych bod chi wedi rhoi'r peth yn gynnil fel'na Cwnstabl, mewn plisgyn cneuan fel y byddan nhw yn deud, ym . . . naddo."

Heb yn wybod iddo ei hun anadlodd y Parchedig Edward Molyneux fymryn yn rhwyddach.

" Gawn ni droi atoch chi, Mistar Molyneux, a gofyn yr un peth i chi. A chofiwch y gall yr hyn fyddwch *chi* yn 'i ddeud gael ei roi ar bapur a'i gyflwyno fel tystiolaeth yn nes ymlaen. Welsoch chi y llun hwn o'r blaen?"

" Do, mi welis y llun clasurol yma. . . ."

" Heb yr ansoddeiriau, os medrwch chi, Ficer. Cofiwch y bydd yn rhaid i mi o bosibl ysgrifennu yr hyn fyddwch chi yn 'i ddeud a'i ail-adrodd o mewn llys barn. Tydy'r fainc fel rheol ddim yn rhy hoff o ansoddeiriau."

Ail-adroddodd Melyneux ond gyda llai byth o frwd-frydedd.

" Mi welis y llun yma un noson yn Nefoedd y Niwl pan fu Mr. Jeremeia Hughes 'ma mor garedig â'm gwâdd i yno i hwyrbryd."

" Be yn union ydy hwyrbryd, Mr. Molyneux? Dowch i ni gael y ffeithiau yn glir."

" Swper, Cwnstabl, swper."

" O. Oedd 'na rywun arall yno i . . . i hwyrbryd yr un noson?"

" Oedd. 'Roedd Hywal 'ma yno a Miss Williams ei fam."

" A'r dyn hwnnw oedd yn gweiddi am Noa," brathodd Hywal.

" O ia. 'Roedd y Canon Victor Jones o Little-Mallet-cum-Picton yno hefyd—yn pregethwr gwadd ni ar Ŵyl Sant Swithin. Dyna'r noson y gwelais i waith Deliago Bianco am y tro cyntaf."

" Un cwestiwn arall, Mr. Molyneux," a daeth y cwnstabl â'i gadair gam yn nes at un y person. " Wyddech chi bod y llun hwn wedi bod ar goll?"

" Do, mi glywais i hynny â'm clustiau, ond dim mwy."

" A dim mwy?"

" Dim byd mwy."

" Wel, ma' hi'n stori hir a diddorol," ac ymestynnodd yr heddwas yn ôl yn ei gadair. " Stori am ddarlun yn diflannu ac yna yn ymddangos drachefn. Mae Mr. Hughes wedi rhoi'r hanes yn llawn i mi ar bapur. Llond dwy dudalen ffwlscap a deud y gwir, ac yn darllen fel un o nofelau James Bond, ac os ydy pawb yn eistedd yn gyfforddus yna mi ddechreua i ar y stori."

Cymerodd gryn saith munud a hanner i'r Cwnstabl Phillips ddarllen y ddwy dudalen. Agorai ceg John Ŵan y Car Post yn fwyfwy gyda phob brawddeg ond 'roedd Molyneux, ac Elis Robaitsh o ran hynny, ar dân i gywiro rhai ffeithiau yn yr hanes. Bodlonodd Hywal ar nythu yn isel yn ei gadair, a chael daliad hapus arall o bigo ei drwyn.

Wedi dod i ben ei dennyn aeth y Cwnstabl ati i gynnal rownd arall o Pawb yn ei Dro.

"Cadet Jones, ecshibit nymbar tŵ."

Diflannodd y cysgod dros eiliad, ond wedi dychwelyd gosododd gamra, ac amlen wedi ei selio ar ganol y bwrdd.

"Pwy piau'r camra hwn?"

"Y fi, Cwnstabl," dechreuodd Hywal y Felin. "Yncl Vic fi roth y camra tynnu llunia yn bresant i mi, ac ma' Yncl Vic fi yn byw mewn plas mawr, ac ma' Mam a fi yn mynd i fyw at Yncl. . . ."

"Diolch, Hywel Williams. Mi gawn ni'r manylion teuluol yn nes ymlaen."

Cododd Harold Phillips ar ei draed i annerch y gynulleidfa gyfan.

"Mi gytunwch oll na all camra ddim twyllo."

Nodiodd pump o bennau, tri moel, moel, un hanner moel ac un twmpathog, cringoch.

"Reit. Mr. Molyneux, newch *chi* agor yr amlen trosom ni?"

"Y fi? Ond pam y fi. . . ?"

"Agorwch yr amlen, Ficar. Gorchymyn ydy hwn hefyd, ac nid cais caredig."

Yn fodiau i gyd agorodd y Parchedig Molyneux yr amlen, tynnodd allan lun tywyll yr olwg, a chraffodd arno.

"Deudwch wrthon ni, Mr. Molyneux, beth ydy cynnwys yr amlen?"

"Mae 'na rywbeth tebyg i lun yma, a rhyw bobol yn y cysgod ond," yn annaturiol o eiddgar, "ond all neb byth ddeud pwy ydyn nhw."

Cythrodd y Cwnstabl Phillips i'r darlun yn ddiamynedd a'i osod ym mhawennau cryfion Elis Robaitsh, Tŷ Cam.

"Ydach chi'n adnabod rhywun, Mr. Robaitsh?"

" Wel ydw a nagydw, y. . . ."

Canodd cloch y teliffon yn yr ystafell nesa' a chododd
y cwnstabl ar ei draed. " Cadwch olwg arnyn nhw, Jones,
yn enwedig ar Hywel Williams, tra bydda i ar y teliffon."

Yn ffodus safai'r cadlanc y tu ôl i gadair y person, ac
felly ni allai weld y ddau hynny'n gwneud migmas ar ei
gilydd.

" Cyhoeddiad," sibrydodd Molyneux, gan edrych i fyw
llygaid pen-diacon yr Annibynwyr, ac yna gwnaeth ffigwr
dau gyda'i fysedd.

" Seilans," bloeddiodd y mymryn plismon wedi llyncu
y swydd dros ei phen. " Seilans in côrt."

"Elis Robaitsh 'ma a finna oedd yn trafod rhyw gyhoedd-
iada, hefo'n gilydd," mentrodd Molyneux yn ddi-daro. ' O
b'le 'dach chi'n dod, Jones?"

Ond 'doedd y cadlanc ddim awydd rhoi heibio ei
urddas a chwedleua am fore oes. Sylwodd Molyneux ar
wên nefolaidd yn torri dros wyneb Tŷ Crwn, a deallodd
fod y llwgrwobrwy wedi ei ddeall a'i dderbyn. Tâl
bychan fyddai cyhoeddiad i'r Annibynwyr os byddai Elis
Robaitsh, Tŷ Cam, mor ddoeth â chau ei geg.

" Maddeuwch i mi am y toriad yna," a llithrodd y
Cwnstabl Phillips yn ôl i'w gadair.

" 'Rŵan, Mr. Elis Robaitsh, 'rydach chi wedi cael
rhagor o amser i astudio'r llun. Be welwch *chi*?"

Daeth asbri hogyn deunaw i lygaid 'rhen Elis Robaitsh
ac atebodd yn rhwydd a hoyw.

" Ma hi'n glir 'i bod hi'n niwl mawr, mawr y noson y
tynnwyd y llun arbennig yma, ac ma' hi yn amlwg i mi
fod y sawl dynnodd y llun yn well am newid teiars beic
na thynnu llunia camra. Y . . . nid y chi Phillips ydy'r
drychiolaeth sy'n dal y parsal sgwâr 'ma ar 'i fogal?"

Ffromodd y cwnstabl yn aruthr. "Mae hi'n amlwg eich bod chi angen sbectol, Mr. Robaitsh, neu eich bod chi yn cymryd y matar yma'n ysgafn, John Owen, fel '*independent witness*' 'rydan ni am droi atoch chi. Fedrwch chi neud pen a chynffon o'r llun, a thrwy hynny helpu Mr. Hughes 'ma i ddod ag achos gerbron?"

Petai'r cwnstabl wedi hepgor y cymal olaf o'r frawddeg byddai yn y fan a'r lle wedi sicrhau achos a enillai iddo ddwy streipen os nad tair, ond 'roedd apelio at y Car Post i helpu'r gŵr a'i lluchiodd wysg ei gefn i'r domen dail yn gofyn gormod. Wrth gwrs 'roedd John Ŵan wedi hen adnabod y cymeriadau yn y niwl (yn nyddiau ei febyd enillodd saith a chwech unwaith am adnabod pregethwyr a'u pennau i lawr mewn rhifyn o'r *Winllan*). Ateb cel-wyddog a gafwyd ganddo'r tro hwn.

"Fûm i 'rioed, Cwnstabl, yn dda i ddim am nabod anifeiliaid, ond mi ddeudwn i ar '*chance*' ma' '*friesian*' ydy'r fuwch gynta 'ma ac 'ma tarw-buwch-ddu-Gymreig ydy'r llall."

Edrychodd Elis Robaitsh yn herfeiddiol ar y Car Post, ond 'roedd John Ŵan y tu hwnt i fygythiadau o'r fath.

Wedi i bawb gael cyfle i dweud gair rhoddodd y Cwnstabl Harold Phillips ychydig eiriau o eglurhad. Hywel Williams, Hywal y Felin fel y gelwir ef gan ei *ychydig* gyfeillion oedd piau'r camera ond gan fod Hywel yn '*minor*' yn ôl y gyfraith 'roedd o am adrodd y stori drosto. (Dysgodd y cwnstabl y p'nawn hwnnw, drwy chwerw brofiad, y cymerai Hywal bum munud ar hugain cyfan i adrodd hanes tri munud o'i oes fer.) Edrychodd Elis Robaitsh a'r Car Post ar ei gilydd. Gwyddai'r ddau fod y cwnstabl yn arfer â galw Hywal yn bob enw ond ni chlywsant y gair '*minor*' i'w ddisgrifio o'r blaen.

Rhoddodd Phillips y ffeithiau o flaen y gwrandawyr yn ddestlus a thwt, gan nodi fel yr oedd Hywal ar noson arbennig wedi gweld bwgan du a myffler am ei wyneb ganllath a hanner o'r ficerdy. Ar y cychwyn 'roedd y bwgan du yn sgwrsio gyda bwgan llai wyneb golau ar derfyn Tŷ Cam. Yn ôl Hywal 'roedd gan y bwgan mawr rywbeth tebyg i focs mecano o dan ei gôt. Y peth olaf a wnaeth y ddau fwgan oedd ysgwyd llaw fel taen nhw'n ddau epa yn cychwyn ar genhadaeth bell, ac yna diflannu. Wedi dringo i ben sycamorwydden ifanc, er diogelwch iddo'i hun yr oedd Hywal ac o'r diogelwch hwnnw yr aeth ati i dynnu llun y drychiolaethau gyda chamera newydd ei Yncl Vic. Dyma, yn ôl y cwnstabl, y llun a osodwyd yn yr amlen. Yn naturiol ni allai Hywal wneud pen na chynffon o'r llun. (Yn y fan hon aeth y cwnstabl oddi ar y llwybr ryw ychydig i egluro nad oedd mab y Felin y disgleiriaf o ddisgyblion ysgol. Ychwanegodd iddo yntau fod mewn cyflwr tebyg i Hywal yn ystod ei ddyddiau ysgol ond iddo yn ddiweddarach basio'n blisman ar y cynnig cyntaf. Anogodd Hywal i wella ei ffyrdd a dal ati gyda'i astudiaethau yn yr ysgol a phenderfynu bod yn blisman. Yn raddol daeth y Cwnstabl Phillips yn ôl i ganol y llwybr.) Wedi cael y llun i'w ddwylo aeth Hywal ar ei union at Yncl Hughes fel y gelwid ef. Tybiodd hwnnw mai darlun Deliago Bianco oedd y parsel sgwâr dan gôt ucha'r bwgan mawr, ac yng ngolau'r gegin yn Nefoedd y Niwl tybiodd iddo hefyd adnabod siâp y ddau fwgan, ond yn ddiweddarach yng Ngorsaf yr Heddlu nid oedd mor siŵr ac ni hoffai wneud cyhuddiadau pendant. Galwyd y Ficer a gŵr Tŷ Cam i Orsaf yr Heddlu fel dau a ddrwgdybid a galwodd ar y postman i ddod i mewn fel tyst annibynnol. Torrodd John Wan ar draws y cwnstabl i ddweud mai Wesla oedd o o'i grud ac nid Annibynnwr. Eglurodd Molyneux iddo yn dawel nad oedd annibynnol ac Annibynnwr yn golygu'n union yr un peth.

Daeth y Cwnstabl Harold Phillips â'r anerchiad cofiadwy hwn i glo drwy grybwyll y lladrata cynyddol yn y fro, ac apeliodd am gymorth yr ardal gyfan i ddod â'r drwg-weithredwr neu'r drwgweithredwyr hyn i olau dydd.

Cymaint oedd dylanwad yr anerchiad fel y bu i Elis Robaitsh anghofio ei hunan yn llwyr gan ddweud 'Amen' ar y diwedd a chodi ar ei draed i wneud y cyhoeddiadau. Eisteddodd yr un mor gyflym pan wichiodd Phillips, "Ecshibit nymbar thri."

Parsel papur llwyd oedd hwn wedi ei glymu â darn o linyn beindar.

"Wel agorwch o Jones yn lle sefyll yn eich unfan fel polyn teligraff ar ddiwrnod tawel." Ar orchymyn ei well aeth y cadlanc ati i rwygo'r papur llwyd yn ddarnau mân a thynnu allan, mewn iawn bryd, drowsus postman yn gaglau byw.

"Wnaiff un ohonoch chi ddweud wrth yr heddlu beth ydy hwn?" holodd y cwnstabl, fel petai holl rym Heddlu Gwynedd wedi ymgorffori mewn un gŵr.

"Trowsus," atebodd J.R. yn ddwl, "un dyn neu un dynes."

"Pa fath drowsus ydy o?" fel petai o'n holi o'r *Rhodd Mam*. 'Roedd Tŷ Cam wedi hen adnabod y llodrau, ac oddi wrth y seis a'r arogl wedi dyfalu'n gywir pwy fu'n eu gwisgo. Dechreuodd bryfocio unwaith yn rhagor.

"Mi faswn i'n deud fod hwn yn drowsus naill ai merch wedi torri ei chymeriad ne ddyn fu unwaith yn chwarae ffliwt mewn band. Ond ma' un peth yn sicr, ma' pwy bynnag fu'n gwisgo'r trowsus yma ddwytha fel y mab

afradlon gynt wedi bod yn 'i rowlio hi mewn tail mochyn.
Clywch yr ogla!"

Taflodd y Car Post olwg herfeiddiol i gyfeiriad y gwag
siaradwr ond i ddim pwrpas.

Gan fod ei stumog o ychydig yn wan ni allai Molyneux
roi'r ateb mewn geiriau. Y cwbl a allai ei wneud oedd
gosod ei fys a'i fawd yn beg ar ei drwyn ac ysgwyd ei ben
fel pendil cloc. Pan ddaeth tro Hywal y Felin i ateb
pwyntiodd yn llawen at *un* yn y gynulleidfa a dweud,
"Trowsus postman, un gora John Ŵan Car Post ydy o, ac
mae o'n drewi am fod Yncl Huws fi wedi lluchio John
Ŵan a'r trowsus i'r doman dail moch sy ar wal y stabal yn
Nefoedd y Niwl."

Cododd John Ŵan ar ei draed yn araf. "Ma' Hywal
'ma wedi ca'l y '*ffacts*' yn iawn ond 'i fod o wedi gosod
y peth yn amrwd braidd," ac edrychodd drwy Hywal y
Felin gan awgrymu mi-gwela-i-di-eto-un-noson-dywyll-
pan-fydd-y-lleuad-wedi-boddi.

"Mi ŵyr yr ardal gyfan bellach fel yr es i i Nefoedd y
Niwl un noson, '*in line o' duty*' fel petai, a cha'l fy nhaflu
gerfydd fy ngholar o ddrws cegin y Nefoedd i berfadd y
doman dail. Be, mae o'n bymthag llath os ydy o'n
droedfadd."

"Rhaid bod y doman dail wedi symud yn ddiweddar,"
awgrymodd Elis Robaitsh. Curodd Cwnstabl Harold
Phillips ymyl y bwrdd crwn gyda choes cetyn a chafodd y
Car Post fynd ymlaen gyda'i erlyniad.

"'Dydy'r pellter ddim yn holl bwysig—'*distance no
object*'—ond ma'r tamad trowsus yma yn brawf pendant
mod i *wedi* bod yno."

Ysgydwodd y Parchedig Edward Molyneux ei ben yn
wyllt unwaith yn rhagor, i awgrymu ei fod o yn cydweld

gant y cant. 'Roedd yr arogl, a lanwai'r ystafell erbyn hyn, yn brawf diamheuol o ymweliad John Ŵan â'r tail mochyn.

"Y dyn *yma*," gan bwyntio at J.R. fel petai'r ddau yn chwarae cowbois "Y dyn yma sy'n cyhuddo person parchus y plwy o ddwyn—dyma'r dyn lluchiodd fi ar fy mhen ôl i'r baw moch."

"Cwnstabl Phillips?" 'Roedd J.R. erbyn hyn wedi codi. "'Rydw i wedi byw am ddeugain mlynedd mewn tre fawr ac mi 'rydw i'n hawlio chware teg. Mi fyddai'n gadael y twll lle 'ma cyn pen yr wythnos, os byw ac iach. Ond cyn mynd ga i ddeud wrtha chi pam y lluchis i o? Am 'i fod o'n torri i mewn i fy nhŷ i ar hanner nos, ac yn cyhuddo dyn gonest o ddwyn ieir a chabaitsh a wyau a phetha felly. Ac ar ben hynny, 'rydw i ddim am gyfaddef mod i wedi 'i luchio fo, er mod i wedi gwneud, a 'does gynno fo 'run tyst. A pheth arall mi lluchia i o eto os y bydd raid."

Synhwyrodd Phillips y gallai'r amgylchiadau fynd yn drech nag *un* plisman gwlad a'i fymryn cysgod a phenderfynodd roi y cadlanc ar waith unwaith yn rhagor.

"Ecshibit nymbar ffôr, Jones—yr olaf un."

Edrychodd pawb i gyfeiriad y drws ond daeth y gwas neidr i mewn yn waglaw y tro hwn, a cherddodd yn smart at y fan lle safai John Ŵan. Gafaelodd yn ysgwyddau crynion y Car Post a throi ei gefn o at y cwmni. Estynnodd fys main hir at wegil John Ŵan a phwyntio at lwmp o faint ŵy cigfran hanner y ffordd rhwng coler postman a godre'i wallt, ac yna diflannodd.

Am rai eiliadau, os nad munudau, safodd John Ŵan â'i gefn at y byd, ond daeth gorchymyn hallt iddo droi i wynebu'r tân.

" Mr. John Owen," gwichiodd Phillips, " *about turn.*" Wrth y gynulleidfa, " Tydw i ddim am ych holi chi fesul un ac un be welsoch chi ar wegil Mr. Owen." Gwyddai y byddai gan Tŷ Cam ryw ateb mwy gwreiddiol na'i gilydd.

" Ond 'rydw i am i John Owen ddarllen ei *statement* i chi, Mr. Owen?"

" Ar y degfed cyfisol, am hanner awr wedi un ar ddeg y bore, 'roeddwn i'n sefyll ger llidiard tyddyn a elwir y Felin yn sgwrsio gydag un a elwir yn Miss Laura Ellen Williams, mam. . . ."

Gyda gofal a bwyd llwy gallasai'r Car Post fod wedi datblygu yn un o gewri lleyg pulpud y Wesleaid, os nad yn wir yn was cylchdaith. Aeth ymlaen.

" Ces fy nharo'n galed ar fy ngwegil ôl."

'Roedd yn rhaid i Tŷ Cam gael gofyn, " Be o's gin ti fwy nag un gwegil, John?"

" Ces fy nharo'n galed ar fy ngwegil ôl a'm taflu *heels over head* dros lidiart yr ardd nes disgyn yn anymwybodol i'r byd yng nghanol clwt tatw Miss Laura Ellen Williams, a elwir o hyn ymlaen yn y datganiad yn Laura Elin o'r Felin. Afal sur wedi hen galedu oedd y. . . ."

Agorwyd drws yr ystafell yn araf, ac er braw i bawb, ond yn arbennig felly i'r plisman a'i was, rhoddodd Mrs. Cwnstabl Phillips ei phen i mewn, a hynny heb esgus cnocio. Dynas fawr, fawr, fras, fras a llais fel ergyd chwarel ganddi oedd Mrs. Harold Phillips.

" Harold, mi fydd ych te chi ar y bwrdd o fewn deu-ddeg munud *union.* Ma' tun bwyd y cadet bach 'ma ar gowntar y *waiting room* yn 'i ddisgwyl o."

Caewyd y drws gyda'r fath arddeliad nes y disgynnodd helmet Phillips a helmet y cyw-blisman oddi ar y peg hetiau a rhowlio'n igam-ogam at y lle tân. Gwyddai Harold Phillips yn dda am reolau'r gegin, ac os na chedwid hwy gwyddai hefyd beth fyddai'r canlyniadau. Cofiodd iddo unwaith gael teisen gwstard ar ei gorun yn lle yn ei stumog, a hynny am ei fod o ychydig eiliadau'n hwyr yn dechrau y gras bwyd amser swper. Petai o wedi cael gwraig ysgafnach diau y byddai wedi dringo i blith angylion, ac o bosib' archangylion Scotland Yard, ond yn anffodus iddo, ei wraig oedd yn gwisgo'r trowsus.

"Mr. John Owen, ma' gynnoch chi ddau funud cwta i ddod â'ch tystiolaeth i ben."

Treuliodd Phillips y naw munud a oedd yn weddill—fe gymerai funud iddo gerdded i'r gegin ac adrodd y gras bwyd—i gymell y gynulleidfa o bump i dorri penna ei gilydd, ond methiant fu ei ymgais. Un o ryfeddodau dynolryw yw gwytnwch bro ac ymlyniad brodorion wrth ei gilydd yn erbyn y gelyn oddi allan. Trech gwlad nag arglwydd, meddai'r hen air, ac fe'i gwireddwyd y p'nawn Llun hwn yng Ngorsaf yr Heddlu ym Mol y Mynydd.

J. R. Jeremeia Hughes oedd y cyntaf i siarad.

"'Rydw i'n hwylio yn ôl i Lerpwl ddechrau'r wythnos. Mae William ac Esther Pringle, nhw sydd pia'r garafan acw, maen nhw wedi bod mor garedig â chynnig lletyi mi yn Bootle nes i mi gael fy ngwynt ataf. Hoffwn i ddim gadael enw drwg ar fy ôl yn y fro hon."

"Clywch, clywch," porthodd Tŷ Cam.

"Mi ges lythyr ffeind gan y Canon fu acw i swper yn deud nad ydy'r llun 'ma, wedi'r holl helynt fu yn ei gylch o yn werth dim ond y ffrâm, a rhywsut alla i ddim meddwl dod â neb i gyfraith am ddwyn ffrâm llun, hydnod petawn i'n siŵr o'm ffeithiau ynte."

Daeth rhagor o borthi a hynny o leiaf dri chyfeiriad. Edrychodd J.R. ar hyn fel cymhelliad i rannu rhai o'i brofiadau tyneraf a dechreuodd arni.

" Ac yn goron ar y cwbl mi ges lythyr siarp o Lundain, yn fy rhybuddio i, os na fedrwn i werthu y llun am broffid y byddai rhyw John J. Hughes yn galw am y car, ac am weithredoedd y tŷ yr un pryd." Daeth crac i'w lais. " 'Rydw i'n dlotach y p'nawn 'ma na'r dydd y cyrhaeddais i yma. Mi wyddoch chi yn iawn na fedr dyn ddim mynd i gyfraith heb arian."

Plygodd ei ben i gyfeiriad ei wasgod. Cododd y pedwar arall ar eu traed i gydymdeimlo â gŵr yn ei brof-edigaeth, a phob un, yn cynnwys John Wan y Car Post, yn dweud mor ddrwg fyddai ganddynt ei golli o'r fro, ac yn ei wahodd yn gynnes i aros ar eu haelwydydd am o leiaf bythefnos o bob blwyddyn.

" Fel Clarc y Cyngor Plwy 'ma, ga' i ddatgan yn colled a'n hiraeth ni fel ardal ar ôl Mr. Hughes 'ma. 'Roedd o fel y gwyddom ni, wedi gwneud cornel gynnas iawn iddo'i hun yng nghalon y fro."

Wrth weld yr unig gwch yn llithro gyda'r lli, ac wrth glywed cloc yr orsaf yn treiglo'r eiliadau gyda blas aeth Harold Phillips i gyflwr tebyg iawn i wewyr esgor.

" Ond John Owen, beth am y trowsus? Y ' *government property* ' fel yr oeddach chi yn ei alw fo. Beth am hwnnw?"

" Alla inna ddim meddwl dwad ag achos yn erbyn dyn sy'n colli 'i unig gartra, a'i unig gar, a'i unig gariad, a cha'l ar ddeall nag ydi 'i unig drysor o'n werth dim. Twt, be ydy trowsus yn erbyn colled felly . . . ac mi olchith hwn fel newydd." Trodd i edrych ar wyneb llawn brychni mab y Felin. " Ond ma'r clap 'ma sy' ar fy ngwegil i yn brifo'n gynddeiriog. Mi fydd yn rhaid i mi wneud rwbath ynghylch hyn, *attempted murder* oedd hwn, Cwnstabl."

Ond 'roedd Phillips wedi hen yfed yr awyrgylch, ac wedi sylwi'n fanwl i ba gyfeiriad y chwythai'r gwynt.

" Ma' Mam a finna yn mynd i ffwrdd hefyd ddechra'r wsnos."

" O?" holodd Molyneux. " I b'le felly?"

Tynnodd Hywal ddarn o hances boced, fudr yr olwg o boced ei drowsus ac esgus chwythu ei drwyn yn ffyrnig.

" 'Dwi ddim ishio mynd, ond ma' Mam ishio mynd o achos bod gin Yncl Vic fi glamp o blas, a lot, lot o gathod. Y fi, medda Yncl Vic, fydd pia'r cathod i gyd dim ond i mi edrach ar 'u hola nhw."

" Un arw am ddynion fuo Laura Elin 'ma 'rioed," meddai Elis Robaitsh yn flin, " ac ma'n g'wilydd iddi godi'r bychan 'ma o bridd 'i fro gerfydd 'i wreiddia fel hyn." Aeth yn ddwfn i'w boced. " Hywal y ngwas i dyma i ti goron, yn yr hen bres, i ti ga'l da-da ne' lemonêd ne' rwbath. A brysia heibio i edrach amdanon ni i gyd, ngwas i."

Gŵr teimladwy oedd y Car Post yn y bôn, ac fe'i cynhyrfwyd i eigion ei enaid wrth weld gweithred hunanaberthol gŵr Tŷ Cam. Aeth yntau i'w boced.

" Rhwbath bach i ga'l eis crîm, ngwas i. 'Dydw i ddim mor gefnog ag Elis Robaitsh, eto mi fydd gin inna chwith ar dy ôl di. Ond mi fydd y clap 'ma ar fy ngwegil yn help i mi i gofio amdanat ti." Trodd i edrych ar y plisman a oedd erbyn hyn â'i ben yn ei blu.

" Mi ddylai bod c'wilydd gynnoch chi, Phillips, yn dwad â hogyn ar 'i brifiant fel hyn i le fel 'ma. Tydan ni i gyd wedi bod yn blant yn dringo coed a bledu cerrig, a fala bach, a phetha felly. Do's dim ishio dwad â phlant diniwed i ryw syrcas o le fel hyn. Ma' gin i fel *Clark to the*

Parish Council flys ych riportio chi a'r mymryn cadet 'ma i'r *supreme authority.*"

Daeth eilio brwd oddi wrth y pedwar arall, a'r Parch-edig yn mynd cyn belled â dechrau hymian, " I mewn â nhw."

" H-A-R-O-L-D!" o berfedd y gegin.

Cododd y cwnstabl yn wantan. " Mi'ch gadawa i chi i'ch potas," ac agorodd y drws.

" Phillips," gwaeddodd y Ficer, " 'Rydw i wedi gadael yr emynau ar y cownter."

" Diolch . . . F. . . Ficer. Mi fydda i hefo chi bore Sul, *os* byw ac iach."

'Roedd y cadlanc eisoes yn pwyso ar gownter yr ystafell aros â'i ben yn y tun bwyd.

Fel yr eisteddai Harold Phillips wrth ford y gegin, edrychodd drwy'r ffenestr agored, a gwelodd y pump a alwyd i ymrannu yn cychwyn tua'u cartrefi fraich ym mraich. Trodd ei ben i'r chwith i weld ei wraig yn hwylio o stêm y gegin fach, a theisen gwstard feddal, chwilboeth yn ei dwylo.

" Mi gewch chi hon, Harold, *wedi* i chi ddeud y gras bwyd."

20

MAE Natur weithia fel petai hi'n cael hwyl am ben ei chwsmeriaid gorau. Un o'r rheiny oedd J. R. Jeremeia Hughes. Bu felly er pan oedd yn fachgen. Yn nyddiau Lerpwl ac yntau yn bennaeth y J. R. Pen Co. Inc., brefai am hyfrydwch y bywyd gwledig—tyddyn dwy acer a buwch— ond wedi tri mis a deuddydd yn Nefoedd y Niwl 'roedd o'n fwy na pharod i droi ei gefn ar gefn gwlad. A'r bore hwn, y bore olaf y câi rodio rhwng y llwyni dail poethion yng ngardd y Nefoedd 'roedd gwên faleisus ar wyneb Meistres Natur, a'r byd o gwmpas i gyd yn gân. Canai'r adar bach yr holl ddarnau cerddorol y gwyddent am- danynt, y cytganau a'r cwbl, ac 'roedd yr ychydig flodau a dyfai o fewn ffiniau'r ardd fel petaent wedi adfywiogi. Yn ystod y tri mis a deuddydd y bu J.R. yn trigo ym Mol Mol y Mynydd bu Natur yn poeri ei chynddaredd ar yr ardal a'i thrigolion gan dywallt ar y cyfiawn a'r anghyfiawn ddogn anarferol o niwl gwyn, oer a glaw mynydd. Hedd- iw cerddai ha' bach Mihangel yn felyn drwy'r ŷd.

Rhoddodd J.R. gam neu ddau i gyfeiriad y clawdd terfyn ac edrych i gyfeiriad y buarth. Cerddai William Pringle o gwmpas y garafan dro ar ôl tro fel petai o yn gi corddi, ac yn yr ysbeidiau llac rhwng y pesychiadau gwnâi Esther Pringle ei gorau glas i gasglu ei chywion dan ei hadenydd. Yn ôl yr udo 'roedd Scoobie Doo eisoes yn ddiogel yn y bŵt. Chwarae teg i galon y ddeuddyn syml hyn o Cement Park am gymryd trugaredd ar hen lanc tlawd, yn ei adfyd. Cyn pen llai nag awr, os deuai Baldwin i olau dydd, byddai'r cwbl ohonynt yn gyrru yn ôl i gyfeiriad yr hen gartref yn Bootle.

Gollyngodd J. R. Jeremeia Hughes ochenaid ddofn ac yna dechreuodd hymian cwpled a glywodd gyntaf yn ystod dyddiau ysgol.

" Er caru'r fun yn fwy nag un, ni fedrwn
Mo ddweud fy serch na gofyn am ei llaw."

Aeth i hel meddyliau. Yr un oedd profiadau'r bardd a'i brofiadau yntau. Pegi Penny Lane a Catriona Bandinelli bellach yn gorffwys yn esmwyth yng nghehseiliau dynion eraill; Maureen Black yn cyfansoddi biliau glo ym mwrlwch Birkenhead a Violet, Violet Sandra Pringle o bawb, yn codi llwch yn Ficerdy unig Bol y Mynydd. Pan ddaeth Miss Williams y Felin i'r Nefoedd a mynnu gwthio dau bâr o draed o dan y bwrdd 'roedd y dydd fel pe ar wawrio, ond yn anffodus daeth rhyw Ganon felltith o gyffiniau y gororau, un o gyfeillion bore oes merch y Felin, a dwyn y feinwen hon eto oddi tan ei drwyn.

Ond yr ergyd olaf, a'r ergyd galetaf o bob un, oedd y gair cwta hwnnw oddi wrth yr un Canon yn ei hysbysu nad oedd llun y gath yn werth fawr mwy na'r ffrâm a'i daliai wrth ei gilydd. Ymh'le tybed y cafodd y Canon Victor Jones y wybodaeth ddinistriol hon? Ond dyna fo, 'roedd gair Canon yn Eglwys Loegr yn siŵr o ddal dŵr, beth bynnag am dân. Yn y llythyr dywedodd y byddai un Angelique rywbeth neu'i gilydd, merch o Ffrainc ac arbenigwr ar waith Bianco yn cadarnhau hynny ar fyr dro. Ddaeth dim gair o Baris hyd yn hyn. Ond dyna fo, os oedd postmyn Paris mor ddi-ddal â'r John Ŵan hwnnw a gyflogid yn ardal Bol y Mynydd, fe gymerai hi bythefnos arall i'r llythyr gyrraedd dinas Llundain ac fe fyddai hi yn Nadolig, os nad yn flwyddyn newydd, cyn iddo lanio ym

Mol y Mynydd. Byddai'n rhaid gofyn i'r wraig honno a gadwai'r Post anfon yr epistol ymlaen.

Trodd J.R. ar ei sawdl a chychwyn i fyny'r llwybr i gyfeiriad y tŷ. Gadael 'goriadau'r *Mercedes* gwyn ar fwrdd y gegin, gadael 'goriad drws cefn Nefoedd y Niwl a gweithredoedd y tŷ ar y sil ben tân, ac arwyddo llythyr yn dweud ei fod o'n trosglwyddo ei *holl* eiddo daearol i'r *Credit Security Ltd.*—dyna orchmynion pendant y dyn neis o Bethnal Green. Bellach 'doedd dim i'w wneud ond plygu i'r drefn, os oedd trefn yn bod o gwbl.

Cerddodd ymlaen a hymian ychydig linellau yn rhagor o gân yr Hufen Melyn:

" Cefais felys win ei gwefus, wedi ofnus oedi cŷd,
   A rhoes ei gair y cawn cyn ffair Ŵyl Ifan
   Roi'r fodrwy ar ei llaw, a newid byd."

" P-s-s-st," chwibanodd y llwyn rhododendron, a throdd J.R. ei ben i edrych ar y rhyfeddod. Wedi edrych a gweld dim mwy na llwyn blêr o rododendron cychwynnodd eilwaith ar ei daith tua'r tŷ.

" P-s-s-st," o'r un llwyn, a phenderfynodd J. R. Jeremeia Hughes, amser neu beidio, fod y *ffenomen* yn haeddu ymchwiliad pellach. Daeth gam yn nes, ac er ei fawr syndod dechreuodd y llwyn rhododendron siarad.

" Yncl Hughes fi?"

" Y?" 'Roedd un nai yn ddigon heb gael llwyn rhododendron o bopeth i'w alw yn ewyrth.

" Ydi hi'n glir?" Edrychodd J.R. ar yr awyr. " Ydi ma' hi'n hollol glir. Dim cwmwl yn yr awyr."

Agorodd y llwyn rhododendron yn ei ganol, fel llyfr, a chamodd Hywal y Felin o blith y blodau.

" Hywal, be gynllwyn. . . ?"

" Yncl Hughes, newch chi ddim deud wrth Mam mod i wedi bod yma 'rŵan?"

" Wel na, na i. Ond wela' i mo Miss Williams dy fam byth eto ngwas i. 'Dwy i yn mynd yn ôl i Lerpwl cyn pen yr awr."

" Yn y *Mercedes* gwyn?"

" Nage—gwaetha'r modd."

" Yncl Hughes, welwch chi mo Mam na finna am hir eto. Byth hwyrach."

" Wel ma'n haws i ddau ddyn neu ddyn a dynes gyfarfod. . . ."

" 'Da'n ni yn mynd i ffwrdd bora 'ma hyfyd."

" O," mewn syndod mawr fel petai o heb weld y fan ddodrefn o ffenestr y llofft.

" Ma Yncl Vic fi wedi anfon fan ddodran fawr acw, ac ma'r dynion wrthi yn 'i llwytho hi. Ac ma' Mam yn mynd i fynd yn y tu blaen hefo'r dynion dodran ac mi 'rwy i'n mynd i ga'l reid yn y trwmbal, fy hun bach."

" Wel, os ydy dynion llwytho'r fan wedi cyrraedd ma'n well i ti 'i throi hi ngwas i ne mi ân i ffwrdd hebot ti."

" Ishio deud ta-ta wrtho chi o'n i, Yncl Hughes."

Cythrodd J. R. Jeremeia Hughes am ei hances boced. Byddai wedi dringo yn llawer uwch mewn bywyd, a magu mwy o gyfoeth, oni bai am y meddalwch hwn a'i nod-weddai.

" Yncl Hughes, 'dwy wedi bod yn deud ta-ta yn Tŷ Cam, a'r Ficrej, ac yn Tyddyn Meirion a Tŷ'r Plisman a Thŷ'r Ysgol."

Rhoddodd Hywal law ym mhocedi ei drowsus a gwneud sŵn pres.

" Wel diolch i ti am alw, Hywal. Ma'r adnabyddiaeth wedi bod yn fer ond yn felys. Ta-ta 'rŵan, a chofia ddweud mod i'n cofio at Miss Williams, dy fam, nei di?"

Dal i loetran a wnâi Hywal gan bigo'i drwyn, a rhoi
un droed ar ben y llall fel petai o yn rhy swil i ofyn
cwestiwn.

"Paid â pigo dy drwyn o hyd. Dyna hogyn da."

"Yncl Hughes, 'dwy'n mynd 'rŵan, ac os leciech chi
roi rwbath i mi, wel 'rŵan ydi'r cyfle i chi 'te? Chewch
chi ddim cyfle eto, Yncl Hughes."

"Hywal bach do's gin i ddim ceiniog i roi i ti nes ca'
i fy mhensiwn ddydd Iau. Dim ond digon i ga'l bwyd
at ddiwedd yr wythnos, dyna'r cyfan sydd gen i."

'Doedd dim troi ar Hywal.

"'Roedd pawb arall, hy'nod y plisman, yn deud bod
yn rhaid i mi ga'l rhwbath bach i gofio amdanyn nhw."

"Ond fel y deudis i 'do's gen i ddim. . . ."

Goleuodd wyneb J.R. fel ffenestr eglwys a cherddodd
i gyfeiriad y drws cefn.

"Hywal, aros yn y fan yna, ngwas i. Fydda i ddim
ond ychydig o eiliadau i gyd."

Diflannodd dros y trothwy i'r tŷ. Os nad oedd darlun
Bianco yn werth dim mwy na'r ffrâm oedd amdano, yna
ni fyddai dyn neis y *Credit Security* ar ei golled o'i golli;
a ph'run bynnag fe weddai y llun yn llawer gwell i gyntedd
plas ar y gororau nag i bared stafell fwll yn Bethnal
Green. Cipiodd y campwaith oddi ar ei hoelen, a'i gario
o dan ei fraich dde i olau dydd.

"Hywal, leciet ti ga'l y llun yma . . . i gofio am Nefoedd
y niwl . . . ac am dy Yncl Hughes?"

"Ew liciwn. 'Dach chi o ddifri?"

"Cymer o."

Trosglwyddwyd y llun yn frysiog.

"Ew, ma' hwn yn werth pres Yncl Hughes. Ne dyna
ma' Mam yn 'i ddeud. Ydy o werth pres mawr?"

" Na, tydy o ddim cymaint o werth arian ag oeddwn i yn ei feddwl, ond mi fydd yn rhywbeth i ti i gofio amdana i."

" Diolch i chi, Yncl." O leiaf 'roedd y bachgen yn mynd yn fwy diolchgar, beth bynnag.

" Rhaid i mi 'i throi hi 'rŵan, Yncl Hughes. *Cheerie bye.*"

Gwyddai Hywal, o chwerw brofiad, y gallai dynion haelionus newid eu meddwl ar amrantiad gwybedyn, a rhag ofn hynny, diflannodd drwy'r llwyn rhododendron, dros glawdd yr ardd, i gyfeiriad y Felin a'r fen ddodrefn.

Trodd J.R. yn ôl am y tŷ â'i galon bwys neu ddau yn ysgafnach. 'Doedd dim gair da yn yr ardal i Hywal y Felin a'i ffordd o drin cathod, ond hwyrach y câi'r gath ar ganfas amgenach parch. Daeth bref o berfedd y garafan.

Mr. 'Ughes. Baldwin's back and we're 'bout to start. Don't keep us waiting, luv."

21

DAETH y mymryn teligram, er ei bod hi wedi amser cau, â llawenydd cywen newydd ddodwy i fywyd llwm Meiji Jên y Post—teligram wedi ei anfon yn arbennig o ganol Ffrainc i lythyrdy Bol y Mynydd. Dyma beth oedd strôc. Rhoddodd ei chôt Sul dros y brat siop a chodi stêm i gychwyn. Petai hi ond yn medru cael gafael ar y John Ŵan Car Post 'na a gofyn iddo fo alw yn y Ficerdy i'r person gael rhoi trefn ar y llythrennau. Os nad oedd *hi'*n deall y brysneges pa obaith oedd gan ŵr Nefoedd y Niwl i'w ddeall o, ac yntau heb fod erioed yn cadw post?

Ailfeddyliodd. Byddai'n well iddi hi alw yn y Ficerdy ei hunan. Eglwyswr ydy eglwyswr wedi'r cwbl. 'Roedd 'na ystyriaeth arall hefyd. 'Doedd y Car Post ddim yn rhedeg mor esmwyth ag y bu nac mor ddi-wich o ran hynny, a hwyrach y byddai gofyn iddo gario teligram yn ormod o broc i'w urddas. Un cysetlyd fel 'na oedd ei dad o'i flaen o, a brawd i'w dad o ran hynny.

Tynnodd y drws i gau a chychwyn yn ffrwcslyd i lawr y ffordd, ond trodd ar ei sawdl yr un mor gyflym a dychwelyd i'r siop. Lle yn union hefyd y gadawodd hi ei dannedd gosod—dan y cownter, mae'n debyg fel arfer. 'Roedd trafaelwyr yr oes hon yn galw mor ddi-rybudd â huddug i botes, a rhaid oedd cael y deuddeg dant ar hugain yn hwylus wrth law. Thala hi ddim i alw yn y Ficerdy, o bob man, yn ddi-ddannedd a'r ddynes neis 'na o Lerpwl newydd gyrraedd yno ac yn siarad Saesneg od.

Un cip bach arall ar y teligram yng nghysgod y sein ' Golden Stream.' "GREETINGS MY FLOWER STOP PANGS OF CONSCIENCE STOP BIANCO GENUINE EIGHTY THOUSAND STOP BEWARE OF SHARKS

STOP FAREWELL MY LITTLE ONE STOP ANGELIQUE BONNET COMMISSEUR PRISEUR." Wel, pa ots, 'roedd y Ficer yn glyfar iawn, medda nhw, ac yn gwybod Groeg. Gwasgodd yr anagram yn belen grychlyd, ac er ei diogelwch, fe'i rhoes i'w gadw yn y lle bydda hi yn arfer â chadw ei hances boced.

Tynnodd y drws i gloi y tro hwn, a chychwyn ar yr hanner milltir hir yn ddannedd i gyd. Fel 'roedd Meiji Jên y Post yn pydru mynd dros allt Tŷ Cam 'roedd ha' bach Mihangel yn tynnu ei draed ato, a thyddynwyr y fro yn hwylio i gadw noswyl. Dyrchafai aerwyon o fwg, cynhesol yr olwg o bob un, ond dau, o gyrn y fro.